Leelee Lebel.

BA

Libre Expression
QUEBECOR MEDIA

Gauche **Intérieur de la Casa Lleó Morera** Droite **La Rambla**

Libre Expression
QUEBECOR MEDIA

DIRECTION
Cécile Boyer-Runge

DIRECTION ÉDITORIALE
Catherine Marquet

ÉDITION
Catherine Laussucq
Avec la collaboration d'Aurélie Pregliasco
et de Krysia Roginski

TRADUIT ET ADAPTÉ DE L'ANGLAIS PAR
Dominique Darbois et Bénédicte Alice Martin

MISE EN PAGES (PAO)
Maogani

[DK]

Ce guide Top 10 a été établi par
Annelise Sorensen et Ryan Chandler

Publié pour la première fois en Grande-
Bretagne en 2002 sous le titre : *Eyewitness
Top 10 Travel Guides : Top 10 Barcelona*
© Dorling Kindersley Limited, London 2002
© Hachette Livre (Hachette Tourisme) pour
la traduction et l'édition française 2003
© Éditions Libre Expression, 2003, pour
l'édition française au Canada
Tous droits de traduction, d'adaptation et de
reproduction réservés pour tous pays.

IMPRIMÉ ET RELIÉ EN ITALIE PAR GRAPHICOM

Sommaire

Barcelone Top 10

Éditions Libre Expression
7, chemin Bates
Outremont (Québec)
H2V 4V7

Dépôt légal : 1er trimestre 2003
ISBN : 2-7648-0034-7

Le classement des différents sites
est un choix de l'éditeur et n'implique
ni leur qualité ni leur notoriété.

Aussi soigneusement qu'il ait été établi,
ce guide n'est pas à l'abri
des changements de dernière heure.
Faites-nous part de vos remarques,
informez-nous de vos découvertes
personnelles : nous accordons
la plus grande attention
au courrier de nos lecteurs.

Gauche **Jardins Mossèn Jacint Verdaguer** Centre **Le bar Pachito** Droite **Terrasse de café, Barri Gòtic**

Gauche **Plaça de Sant Felip Neri, Barri Gòtic** Droite **Dôme inversé, Palau de la Música Catalana**

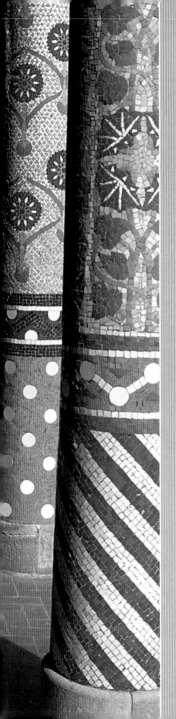

BARCELONE
TOP 10

BARCELONE TOP 10

🔟 À ne pas manquer

Entre des plages de sable bordées d'eaux claires et les montagnes au nord, cet étincelant joyau de la Méditerranée est béni par la géographie. Barcelone a tout à offrir, du vivant quartier rénové de son port à l'ambiance des ruelles médiévales du Barri Gòtic et aux beaux bâtiments modernistes de l'Eixample, sans compter ses nombreux musées abritant des trésors, ses chefs-d'œuvre d'architecture, ses merveilleuses places et ses plages animées.

1 Sagrada Família
La surréelle église conçue par Gaudí est devenue le symbole de la ville et de son patrimoine moderniste. Sur les 12 flèches *(ci-dessus)* initialement prévues, huit transpercent le ciel de Barcelone. *p. 8-9.*

2 La Rambla
Cœur de Barcelone, cette vivante artère piétonnière *(ci-dessus)* longue de 1 km coupe la vieille ville en deux, de la Plaça de Catalunya aux eaux scintillantes de la Méditerranée. *p. 12-13.*

3 La cathédrale
La splendide cathédrale de Barcelone, de style gothique *(ci-dessus)* domine la vieille ville. Son cloître, planté de palmiers, est un havre de paix et de fraîcheur à l'intérieur duquel vivent des oies blanches. *p. 14-15.*

4 Parc de la Ciutadella
Le plus grand parc de Barcelone est une véritable oasis de verdure en plein centre-ville. Il abrite un zoo, trois musées et une fontaine monumentale de style néoclassique *(droite). p. 16-17.*

Abréviations : EP *Entrée payante* **EG** *Entrée gratuite*
C *Climatisation* **PC** *Pas de climatisation*

5 Museu Nacional d'Art de Catalunya

Le Museu Nacional d'Art de Catalunya (MNAC), qui occupe l'imposant Palau Nacional *(droite)*, abrite la plus belle collection au monde d'œuvres d'art roman, toutes retrouvées au début du XIXe s. dans des églises catalanes. *p. 18-19.*

6 La Pedrera

Gaudí ne peut renier cette merveille moderniste *(ci-dessous)*, également appelée Casa Milà. Le fer forgé des balcons grimpe comme des lianes sur la façade courbe et, sur le toit, des cheminées ornées de mosaïque montent la garde, tels des chevaliers. *p. 20-21.*

7 Fundació Joan Miró

Magnifique alliance d'art et d'architecture, ce vaste musée inondé de lumière est consacré à l'œuvre de Joan Miró, un des plus grands artistes du XXe s. Les tableaux, les sculptures, les dessins et les tapisseries exposés représentent 60 années de travail de cet artiste prolifique. *p. 22-23.*

8 Museu Picasso

Cinq palais médiévaux abritent le musée consacré à Picasso. La collection comprend notamment des œuvres de jeunesse, dont plusieurs portraits magistralement exécutés par l'artiste à l'âge de 13 ans. *p. 24-25.*

9 Palau de la Música Catalana

Très bel exemple de l'architecture moderniste à Barcelone, cet édifice *(gauche)* porte bien son nom puisqu'il abrite une salle de concerts. *p. 26-27.*

10 Museu d'Art Contemporani et Centre de Cultura Contemporània

Cet édifice en verre *(ci-dessus)* abrite le musée d'Art contemporain qui, avec le centre culturel voisin, a contribué au renouveau d'El Raval. *p. 28-29.*

Abréviations : **j.f.** *jour férié* **t.l.j.** *tous les jours* **AH** *Accès handicapés* **PAH** *Pas d'accès handicapés*

🔝10 Sagrada Família

Fantastique tour de force de l'imagination et objet d'infinies controverses, l'indescriptible église d'Antoni Gaudí est toujours un choc lorsqu'on la découvre de près. L'architecte, qui lui a consacré sa vie, est mort en 1926 avant qu'elle ne soit achevée. Ces 80 dernières années, pour un prix incalculable, sculpteurs et architectes ont apporté leur touche au rêve de Gaudí. Toujours en travaux, on a la chance unique de voir la huitième merveille du monde en construction. Financée par plus d'un million de visiteurs par an, elle devrait être achevée en 2030.

Façade de la Passion

🍴 Pour profiter d'une belle vue sur le chef-d'œuvre illuminé de Gaudí, asseyez-vous le soir à l'une des terrasses qui bordent l'Avinguda Gaudí.

🎯 Si vous voulez réaliser de bonnes photos de la façade de la Nativité, venez avant 8 h : la lumière est idéale et les bus de touristes ne sont pas encore arrivés.

Sur la façade de la Passion, recherchez le cryptogramme dont la somme des chiffres donne l'âge auquel le Christ est mort.

• Entrée C/Marina et C/Sardenya
• Plan G2
• 93 207 20 31
• Métro Sagrada Família
• Ouv. nov.-fév. t.l.j. 9h-18h ; mars et oct. t.j.l. 9h-19h ; avr.-sept. t.l.j. 9h-20h
• EP 5 €
• Vi. gui. t.l.j. 11h, 13h, 16h et 17h30
• AH limité

À ne pas manquer

1. La façade de la Nativité
2. La façade de la Passion
3. Les escaliers
4. Les tours
5. La maquette
6. La nef
7. Le cloître
8. Le musée de la Crypte
9. L'abside
10. Les travaux en cours

1 La façade de la Nativité
Cette façade *(ci-dessus)* illustre la passion de Gaudí pour les formes organiques. Des plantes et des animaux sont sculptés dans la pierre. Des tortues soutiennent les deux colonnes principales.

2 La façade de la Passion
Achevée dans les années 1980 par Josep Maria Subirachs, cette façade représente, comme son nom l'indique, le supplice du Christ. En fort contraste avec le reste de l'édifice conçu par Gaudí, elle est très controversée.

3 Les escaliers
Des escaliers en colimaçon mènent au sommet des tours, ce qui permet d'admirer de près les gargouilles et les mosaïques *(droite)*.

4 Les tours
Pour monter dans les tours, prenez les escaliers ou l'ascenseur. D'en haut, la vue *(p. 55)* est magnifique : on voit l'ensemble de la Sagrada Família et tout Barcelone. Sujets au vertige, s'abstenir !

 Autres églises p. **38-39**

5 La maquette
Une maquette de l'église est suspendue dans le musée. Gaudí lui-même la réalisa, à l'aide de chaînes lestées de petits sacs de sable, afin de trouver le mode de construction des arcs et des voûtes de la crypte Colonia Güell. Aucun architecte auparavant n'avait employé un tel procédé.

Plan de la Sagrada Família

6 La nef
L'immense nef de l'église est toujours en travaux. Ses colonnes ressemblent, comme le voulait Gaudí, à une forêt d'arbres de pierre dont les branches se déploient jusqu'au plafond.

7 Le cloître
Pour réaliser les sculptures, étonnamment modernes, ornant le cloître, Gaudí se serait inspiré des émeutes anarchistes de 1909 (p. 30-31). La tentation de l'Homme par le Démon y est figurée par une statue de serpent qui enlace un rebelle lançant une bombe.

8 Le musée de la Crypte
Récemment rénové pour accueillir un mini-cinéma, ce musée retrace l'histoire de l'édifice. La partie la plus intéressante est l'atelier de maquettes, où sont produits les modèles réduits en plâtre et en pierre pour les travaux en cours. Ne manquez pas la tombe de Gaudí, dans la crypte (gauche). Elle est visible depuis le musée.

9 L'abside
Ornée de lézards, de serpents et de deux escargots géants, l'abside est la 1ʳᵉ partie de l'église achevée par Gaudí.

10 Les travaux en cours
L'église bourdonne d'activité. Sculpteurs accrochés aux tours, tailleurs de pierre attaquant d'énormes blocs, l'édifice est entouré de grues et d'échafaudages (gauche). Observez ce travail de fourmi et vous aurez une idée du gigantisme du projet.

Suivez le guide

L'entrée se fait par la C/Sardenya ou la C/Marina. C/Sardenya, se trouvent une boutique de souvenirs et un ascenseur pour monter dans une tour. C/Marina sont situés les escaliers et l'ascenseur pour les autres tours. Si vous ne voulez pas payer le supplément pour l'ascenseur, sachez que monter à pied n'est facile.

Autres visites dans l'Eixample p. 102-105

Gauche **Escalier d'une tour** Droite **Détail d'une porte, façade de la Passion**

Dates clefs de la Sagrada Família

1 1882
Pose officielle de la 1re pierre. L'architecte Francesc de Paula Villar i Lozano dirige le projet, mais, en désaccord avec les fondateurs religieux, il décide de démissionner.

2 1883
Le jeune et prometteur Antoni Gaudí est nommé chef de projet. Il vouera 40 ans de sa vie à l'église, finissant même par habiter sur le chantier.

3 1889
La crypte est achevée. Elle est entourée d'une suite de chapelles, dont l'une abrite aujourd'hui la tombe de Gaudí.

4 1904
On apporte les touches finales à la façade de la Nativité, où l'on voit Jésus, Marie et Joseph entourés d'anges.

5 1925
La première tour, haute de 100 m, est achevée.

6 1926
Le 10 juin, Gaudí meurt après avoir été renversé par un tramway près de son église bien-aimée. Personne ne reconnaît alors l'architecte le plus célèbre de la ville.

7 1936
La guerre civile espagnole éclate et les travaux sont interrompus pendant 20 ans. L'atelier de Gaudí et la crypte sont incendiés par les Républicains, en signe de protestation contre l'Église catholique qui soutient Franco.

8 1987–1990
L'artiste Josep Maria Subirachs (né en 1927) est chargé de terminer la façade de la Passion. Il s'installe dans l'église, comme son illustre prédécesseur. Ses impressionnantes statues anguleuses et austères attirent à la fois critiques et louanges.

9 2000
Le 31 décembre, la nef est officiellement achevée.

10 2010–2030
D'ici 2010, la couverture de la nef et de l'abside devrait être terminée. L'achèvement complet de l'église est prévu pour 2030. Tout dépend cependant du financement. Comme le souhaitait Gaudí, les travaux sont financés par souscription publique. Les milliers de touristes qui paient chaque jour leur entrée pour visiter l'édifice y contribuent aussi.

Vitrail

Autres bâtiments modernistes **p. 32-33**

Antoni Gaudí

Porte-drapeau du mouvement moderniste catalan de la fin du xixe s., Antoni Gaudí est aussi l'architecte le plus célèbre de Barcelone. Catholique fervent, nationaliste catalan convaincu, totalement absorbé par son œuvre architecturale, il mena une vie quasi monacale. Il a été béatifié en 2001 et l'Église catholique catalane œuvre maintenant pour le faire canoniser.

Cheminée, Casa Vicens

L'extraordinaire héritage de Gaudí est devenu l'emblème de Barcelone. Son œuvre, exubérante et pleine de gaieté, est à l'image de son nom même qui vient du catalan gaudir, qui signifie « avoir de la joie ». La nature, qui fut une inépuisable source d'inspiration pour les architectes modernistes, domine non seulement les éléments décoratifs de ses bâtiments mais aussi leur structure.

Antoni Gaudí (1852-1926)

Les *trencadís*

Les *trencadís* sont des mosaïques réalisées à partir de tessons de céramique. Gaudí a utilisé cette technique d'une manière révolutionnaire, notamment dans le parc Güell et pour la décoration de La Pedrera, dont certaines cheminées sont couvertes des débris de centaines de bouteilles de *cava*, l'équivalent espagnol du champagne.

Lézard en mosaïque *trencadís*, Parc Güell

⁑10 La Rambla

Longée des deux côtés par les voitures mais piétonnière au milieu,
La Rambla déborde d'activité. Ici, les jours et les nuits se ressemblent car
ce paradis des curieux est tout sauf calme. Des mimes-statues s'immobilisent
puis s'animent, des musiciens de rue jouent les grands classiques,
des dessinateurs caricaturent le visage des passants,
les stands débordent de fleurs de toutes les couleurs et
résonnent du piaillement des oiseaux, et les kiosques
à journaux restent ouverts toute la nuit.

Musicien de rue

🥤 **Asseyez-vous à la terrasse du Cafè de l'Òpera *(p. 42)*, situé au n° 74, et commandez un *granissat* (une boisson à la glace pilée). Ainsi, vous pourrez profiter de l'ambiance de La Rambla.**

⚠ **Attention aux pickpockets, grands habitués de La Rambla.**

- *Plan L2–L6*
- *Métro Catalunya, Liceu, Drassanes*
- *Gran Teatre del Liceu ouv. t.l.j. 9h45-23h*
- *Mercat de la Boqueria ouv. lun.-sam. 7h-20h*
- *Palau de la Virreina ouv. mar.-sam. 11h-20h ; EG*
- *Centre d'Art Santa Mònica ouv. lun.-sam. 11h-14h et 17h-20h, dim. 11h-15h ; EG*
- *Església de Betlem ouv. t.l.j. 8h-13h30 et 17h30-20h*

À ne pas manquer

1. Gran Teatre del Liceu
2. Monument a Colom
3. Mercat de la Boqueria
4. Les fleuristes et les oiseliers
5. Font de Canaletes
6. La mosaïque de Miró
7. Palau de la Virreina
8. Centre d'Art Santa Mònica
9. L'immeuble Bruno Quadras
10. Església de Betlem

1 Gran Teatre del Liceu
Fondé en 1847, l'opéra de la ville *(ci-dessus)* a fait connaître dans le monde entier des stars comme Montserrat Caballé. Il a été entièrement rénové après deux incendies.

2 Monument a Colom
Cette colonne, coiffée d'une statue de Christophe Colomb *(ci-dessus, droite)*, a été édifiée en 1888 à l'endroit où il débarqua à son retour des Amériques. La vue depuis le sommet, accessible en ascenseur, est exceptionnelle *(p. 54)*.

3 Mercat de la Boqueria
Dans ce marché traditionnel couvert, à peu près tout ce qui se mange vous sera

proposé dans une belle et joyeuse cacophonie.

Visites dans le Barri Gòtic et la Ribera p. 70-73

Barcelone Top 10

4 Les fleuristes et les oiseliers

À côté des artistes de rue et des touristes, c'est-à-dire les nouveaux venus, les anciens occupants de La Rambla sont toujours là : de nombreux étals de fleurs et d'oiseaux sont tenus par la même famille depuis plusieurs décennies.

5 Font de Canaletes

Assurez-vous de revenir à Barcelone : la légende veut que ceux qui boivent de l'eau de cette fontaine du XIXᵉ s. tombent amoureux de la ville et y reviennent.

La Rambla

6 La mosaïque de Miró

Les formes abstraites et les couleurs primaires de ce pavement en mosaïque *(ci-dessus)* sont faciles à reconnaître : une œuvre de l'artiste catalan Joan Miró.

7 Palau de la Virreina

Le « palais de la vice-reine », de style néoclassique, fut construit en 1778 par le vice-roi du Pérou. Il abrite aujourd'hui des expositions temporaires de sculpture, de vidéo et de photographie.

8 Centre d'Art Santa Mònica

Résonnant autrefois du murmure des prières et des chapelets, ce couvent du XVIIᵉ s. a aujourd'hui une nouvelle fonction. Entièrement rénové par le gouvernement dans les années 1980, il est devenu un centre d'art contemporain. Les expositions temporaires, très avant-gardistes, vont de l'installation vidéo à la sculpture et à la photographie.

9 L'immeuble Bruno Quadras

Les parapluies qui décorent cet étonnant bâtiment de la fin du XIXᵉ s. *(gauche)* étaient autrefois fabriqués ici.

10 Església de Betlem

Souvenir d'une époque où l'Église catholique, riche et puissante, imposait ses valeurs, cette église du XVIIᵉ s. rappelle un temps où l'ambiance sur La Rambla était moins provocatrice.

Visites dans El Raval **p. 80-83**

La cathédrale

La construction de la cathédrale débute en 1298 sur l'emplacement d'une église romano-wisigothique du IVᵉ s. et d'une basilique du XIᵉ s. Sa façade ne sera achevée qu'au XIXᵉ s., dans un style gothique, d'après les plans dessinés en 1408. L'édifice, flanqué d'une jolie chapelle romane et d'un beau cloître, est un très bel ensemble gothique. Aujourd'hui encore, cette merveille est le cœur spirituel du Barri Gòtic.

Entrée principale

○ **Admirez la cathédrale depuis la terrasse du café Estruch, Plaça de la Seu.**

○ **Des concerts d'orgue avec chœurs ont lieu tous les mois, renseignez-vous à la Pia Almoina.**

On peut voir danser la *sardane*, la danse folklorique catalane, Plaça de la Seu (sam. 18h, dim. 12h et 18h30).

- Plaça de la Seu
- Plan M3
- 93 315 15 54
- Métro Liceu, Jaume I
- Cathédrale ouv. t.l.j. 8h30-13h30 et 16h-19h30 ; messe lun.-sam. 9h, 10h, 11h, 12h et 19h ; dim. 9h, 10h30, 12h, 13h, 18h et 19h
- Casa de l'Ardiaca ouv. sep.-juin lun.-ven. 9h-20h45, sam. 9h-13h. ; août lun.-ven. 9h-19h 30 ; EG
- Museu Diocesà ouv. mar.-dim. 10h-14h, 17h-20h
- EP

À ne pas manquer

1. La façade principale
2. Les stalles du chœur
3. Le cloître
4. La crypte de Santa Eulàlia
5. Capella del Santíssim Sacrament i Crist de Lepant
6. Capella de Sant Benet
7. Capella de Santa Llúcia
8. La nef et les orgues
9. Pia Almoina et Museu Diocesà
10. Casa de L'Ardiaca

1 La façade principale

La flèche de la cathédrale culmine à 70 m *(droite)*. Le portail de l'édifice est flanqué de deux tours jumelles et encadré de vitraux modernistes, et de 100 anges sculptés.

2 Les stalles du chœur

En bois finement sculpté, les stalles du chœur (1340) sont décorées des blasons de l'ordre de la Toison d'or *(gauche)* peints par Jean de Bourgogne.

3 Le cloître

Au centre de ce cloître du XIVᵉ s., se dresse une fontaine ornée d'une statue *(droite)* de Sant Jordi (saint Georges). Des oies se promènent autour, sous les palmiers.

Autres églises p. 38-39

4 La crypte de Santa Eulàlia

La première patronne de la ville, repose dans un sarcophage d'albâtre (1327) au centre de la crypte. Les bas-reliefs dépeignent son martyre.

5 Capella del Santíssim Sacrament i Crist de Lepant

Cette chapelle du XVᵉ s. renferme le Christ de Lépante. Ce crucifix aurait guidé la flotte chrétienne dans une bataille contre les Turcs en 1571, dans le golfe de Lépante.

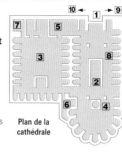

Plan de la cathédrale

6 Capella de Sant Benet

Dédiée à saint Benoît, patron de l'Europe, cette chapelle abrite le retable de la Transfiguration *(ci-dessous)*, une œuvre du XVᵉ s. du célèbre peintre catalan Bernat Martorell.

7 Capella de Santa Llúcia

Cette jolie chapelle romane est dédiée à sainte Lucie, protectrice des yeux. Le 13 décembre, jour de la sainte Lucie, les aveugles *(els cecs)* viennent nombreux pour y prier.

8 La nef et les orgues

La haute et large nef *(ci-dessous)*, de style gothique catalan, est bordée de 16 chapelles. Elle est dominée par un orgue du XVIᵉ s. qui, durant les offices, résonne dans toute la cathédrale.

Suivez le guide

L'entrée se fait par la Plaça de la Seu, d'où la cathédrale est la plus imposante. Une fois à l'intérieur, sur la gauche, se succèdent les chapelles, puis l'orgue et les ascenseurs qui permettent d'accéder à la terrasse panoramique. La vue sur le Barri Gòtic *(p. 55)* y est magnifique. La Casa de l'Ardiacà se trouve sur la droite de la cathédrale (C/Santa Llúcia 1) et le Museu Diocesà, sur la gauche (Av. de la Catedral 4).

9 Pia Almoina et Museu Diocesà

La Pia Almoina, un hospice pour les pèlerins et les pauvres au XIᵉ s., abrite aujourd'hui le Musée diocésain. Des œuvres romanes et gothiques retrouvées dans toute la Catalogne y sont réunies.

10 Casa de l'Ardiaca

La maison de l'Archidiacre a été construite au XIIᵉ s., à côté de la porte de l'Évêque percée dans l'enceinte romaine et agrandie au fil des siècles. Son patio, ombragé, possède une fontaine.

Autres visites dans le Barri Gòtic et la Ribera p. 70-73

₁₀ Parc de la Ciutadella

Cette oasis verte et paisible, à l'est de la vieille ville, est une halte agréable à l'écart de l'agitation du centre. Conçu à la fin des années 1860 sur le site d'une ancienne citadelle (ciutadella), le parc offre aux Barcelonais une étendue de nature (allées, serres et espaces ombragés), des loisirs (canotage sur le lac) et trois musées. C'est ici qu'a eu lieu l'Exposition universelle de 1888, lors de laquelle les grands architectes modernistes de la ville purent exprimer leur talent : Lluís Domènech i Montaner crée alors le Castell dels tres Dragons, qui abrite aujourd'hui le musée de Zoologie, et le jeune Gaudí collabore à la fontaine du parc.

Un des griffons de la fontaine

🅐 Achetez de quoi pique-niquer au marché Santa Caterina (au NO du parc) ou déjeunez rapidement dans l'ambiance coloniale du café de l'Hivernacle. S'il fait chaud, optez pour un *gazpacho*.

🅒 Les collections du Museu d'Art Modern devraient rejoindre prochainement celles du MNAC *(p. 18-19)*.

- *Entrée principale Pg Pujades*
- *Plan R4*
- *Parc ouv. juin-août t.l.j. 9h-22h ; sept.-mai t.l.j. 9h-20h ; EG ; AH*
- *Zoo ouv. nov.-fév. t.l.j. 10h-17h ; mars et oct. t.l.j. 10h-18h ; avr. et sept. t.l.j. 10h-19h ; mai-août t.l.j. 9h30-19h30 ; 10 €*
- *Museu de Zoologia et Museu de Geologia ouv. mar.-dim. 10h-14h (jusqu'à 18h30 jeu.) ; 3,50 €*
- *Museu d'Art Modern*
- *Ouv. lun.-sam. 10h-19h, dim. 10h-14h30 ; 3 €*

À ne pas manquer

1. La fontaine
2. Arc de Triomf
3. Parc Zoològic
4. Llac
5. Museu d'Art Modern
6. Museu de Zoologia
7. Museu de Geologia
8. Hivernacle et Umbracle
9. Parlament de Catalunya
10. *Homenatge a Picasso*

₁ La fontaine
Un coup d'œil suffit pour deviner que la main de Gaudí a rendu cette fontaine néoclassique plus fantaisiste *(droite)*. Des griffons se dressent au-dessus du bassin recouvert de mousse et des chérubins s'amusent au milieu des jets d'eau.

₂ Arc de Triomf
L'Arc de Triomf *(ci-dessus)* est la contribution de l'architecte Josep Vilaseca i Casanoves à l'Exposition universelle de 1888. Au sommet de cette entrée monumentale, des anges sonnent du cor.

₃ Parc Zoològic
Floquet de neu (Flocon de neige), la star du zoo, est un gorille albinos *(ci-dessus)*. Ce zoo propose des activités diverses : balades en poney, voitures électriques et petit train *(p. 62)*.

Autres visites dans le Barri Gòtic et la Ribera **p. 70-73**

Llac
4 Au centre du parc, s'étend un lac artificiel *(ci-dessus)* où l'on peut louer une barque pour une demi-heure ou plus.

Museu d'Art Modern
5 Ce musée abrite une riche collection d'art moderne catalan, notamment des peintures de Ramon Casas, des nus du sculpteur Josep Llimona et du mobilier moderniste dessiné par Gaudí, Puig i Cadafalch et Gaspar Homar.

Plan du parc

Museu de Zoologia
6 Le centre d'intérêt de ce musée est l'énorme squelette de baleine suspendu au milieu d'animaux naturalisés, dont un tigre à dents de sabre.

Museu de Geologia
7 Ce musée renferme une collection de 15 000 échantillons minéralogiques, 14 000 roches et 100 000 fossiles trouvés dans la région.

Hivernacle et Umbracle
8 Palmiers et autres plantes tropicales poussent dans l'humidité de ces deux serres *(ci-dessus)* de la fin du XIXe s. La première est l'œuvre de l'architecte Josep Amargós, la seconde a été conçue par Josep Fontseré.

Parlament de Catalunya
9 Le Palau de la Ciutadella *(ci-dessous)*, construit en 1891, est le siège du Parlement de Catalogne actuellement présidé par Jordi Pujol. Devant le bâtiment, s'étend la Plaça d'Armes et un bassin plein de nénuphars orné d'une sculpture (1907) de Josep Llimona.

Homenatge a Picasso
10 Il n'est pas facile de décrypter le sens de cette œuvre de l'artiste catalan Antoni Tàpies. L'*Hommage à Picasso* est un grand cube de verre rempli d'objets hétéroclites, notamment de meubles.

Suivez le guide

Trois stations de métro desservent le parc. Pour entrer par l'Arc de Triomf, descendez à la station du même nom. Pour aller au zoo, sortez à la station Ciutadella-Vila Olímpica. Depuis la station Barceloneta, on peut facilement se rendre au parc à pied.

Autres parcs p. **56-57**

🔟 Museu Nacional d'Art de Catalunya

Le Museu Nacional d'Art de Catalunya (MNAC), qui occupe le Palau Nacional, un bâtiment de 1929 de style néoclassique, possède une magnifique collection d'art médiéval. Son département d'art roman est unique au monde : des peintures sur bois et des peintures murales d'églises des Pyrénées catalanes, remontant pour certaines au IXᵉ s., y sont déposées. Le musée présente également une importante collection d'œuvres de la période gothique, apogée du rayonnement artistique de la catalogne (1250-1500), le legs Cambó qui compte entre autres des tableaux de Rembrandt et de Zurbarán, une collection de pièces de monnaie et des expositions temporaires.

Façade du Palau Nacional

📖 **L'immense Sala Oval abrite un luxueux restaurant, un cadre d'une grande élégance.**

🕐 **À l'entrée, une immense verrière offre une vue spectaculaire sur Barcelone .**

Les collections du Museu d'Art Modern *(p. 17)* devraient être progressivement transférées au MNAC.

• Palau Nacional,
Parc de Montjuïc
• Plan B4
• Métro Espanya
• 93 622 03 75
• www.gencat.es/mnac
• Ouv. mar.-sam. 10h-19h, dim. 10h-14h30
• EP 5 €
• Vi. gui.
sur rendez-vous
• AH

À ne pas manquer

1. L'intérieur de Sant Joan de Boí
2. Les fresques de Sant Climent de Taüll
3. La Vierge de Ger
4. Le Christ de Batlló
5. Les fresques de Santa Maria de Taüll
6. L'abside de Santa Maria d'Aneu
7. Tête de Christ
8. *La Vierge des Conseillers*
9. Retaule de Sant Agustí
10. Le legs Cambó

1 L'intérieur de Sant Joan de Boí

C'est un des intérieurs d'église (vers 1100) le mieux reconstitué du musée. Remarquez la *Lapidation de saint Étienne*, à côté d'une description saisissante du Ciel et de l'Enfer. D'autres peintures décrivent la vie au Moyen Âge en Catalogne.

2 Les fresques de Sant Climent de Taüll

L'intérieur de Sant Climent de Taüll *(gauche)* est un bel exemple de l'art roman européen, mélange d'influences byzantine, française et italienne. Un *Christ en majesté*, soutenu par des saints et entouré d'anges, domine l'abside.

3 La Vierge de Ger
Cette remarquable statue en bois du XIIᵉ s. *(gauche)* fait partie d'une série retrouvée dans les Pyrénées. Toute droite dans sa robe à plis, Marie sert de trône vivant à l'enfant qui, la main levée, bénit.

4 Le Christ de Battló
Ce splendide crucifix en bois du milieu du XIIᵉ s. *(gauche)* montre un Christ en habits de roi, les yeux baissés. Dans la souffrance, il garde toute sa majesté et un air pensif.

5 Les fresques de Santa Maria de Taüll
L'intérieur bien conservé de Santa Maria de Taüll (vers 1123) témoigne de la richesse en couleurs des églises romanes. L'enfance du Christ ainsi que des scènes avec les Rois Mages et saint Jean Baptiste y sont représentées.

6 L'abside de Santa Maria d'Aneu
L'abside de cette église *(droite)* de la fin du XIᵉ s. est dominée par un ange dont les six ailes sont constellées d'yeux. L'inscription latine dit : « Saint, saint, saint », et l'ange tend des braises brûlantes pour purifier les paroles des prophètes Isaïe et Élisée.

7 Tête de Christ
En pierre et en bois, cette sculpture gothique (vers 1352) grandeur nature *(droite)* montre un Christ extatique consumé par la souffrance. Elle est attribuée à Jaume Cascalls.

8 La Vierge des Conseillers
Ce tableau de Lluís Dalmau a été commandé en 1443 par le Conseil de la Ville. On y voit les hauts conseillers agenouillés devant la Vierge assise sur un trône. Des saints et des martyrs assistent à la scène.

9 Retaule de Sant Agustí
Cet imposant retable (1463-1485) du maître Jaume Huguet illustre la puissance et la richesse de l'Église au Moyen Âge.

10 Le legs Cambó
Les œuvres léguées par Francesc Cambó datent de la Renaissance et de la période baroque. La collection comprend des tableaux de Rubens et d'autres peintres flamands, ainsi que des œuvres, plus sombres, de peintres espagnols comme Goya et Zurbarán.

Légende
Galerie d'art roman
Sala Oval
Galerie d'art gothique
Legs Cambó

Suivez le guide
Les collections romane et gothique et le legs Cambó sont au rez-de-chaussée. Le sous-sol abrite les expositions temporaires. Le restaurant et la boutique de souvenirs se trouvent dans la Sala Oval.

Vestiaire · *Escalier vers les expositions temporaires* · *Entrée principale*

Informations sur la Font Màgica, située en bas de l'escalier qui monte au Palau Nacional **p. 89**

ᵀᴼᴾ10 La Pedrera

Œuvre célèbre de l'architecte Antoni Gaudí, ce curieux immeuble aux formes onduleuses possède un toit surréaliste et de magnifiques balcons en fer forgé. La Pedrera (« carrière de pierre ») ou Casa Milà, achevée en 1910, est le dernier ouvrage civil de Gaudí avant qu'il ne consacre sa vie à la Sagrada Família (p. 8-10). Restauré en 1996 après des années d'abandon, l'immeuble abrite aujourd'hui un musée consacré à l'architecte, un centre d'exposition de la Caixa de Catalunya, un appartement-musée meublé ainsi que des logements privés. La magie de La Pedrera est aussi dans les détails : observez-la de près, des poignées de porte aux luminaires !

Façade de la Pedrera

🍷 En été, un bar est ouvert sur le toit, un cadre évidemment très étonnant. On peut y prendre un verre en écoutant de la musique *live* (ven. et sam. 21h-minuit). Réservation indispensable *(p. 47)*.

📌 Pour des informations sur les expositions temporaires, consultez le site de la Caixa de Catalunya (www.caixacatalunya .es/caixacat/es/ ccpublic/particulars/ default.htm).

- C/Provença 261-265
- Plan E2
- 93 484 59 00
- Métro Diagonal
- Ouv. t.l.j. 10h-20h (juin-sept. ven. et sam. 21h-minuit, sur réservation)
- Vi. gui. lun.-ven. 18h, sam.-dim. et fêtes 11h
- EP 6 € (EG pour les expositions temporaires)

À ne pas manquer

1. La façade et les balcons
2. Le toit
3. Espai Gaudí
4. El Pis de la Pedrera
5. La cour intérieure : C/Provença
6. Les portails
7. Les expositions temporaires
8. La cour intérieure : Pg de Gràcia
9. L'auditorium
10. La boutique

1 La façade et les balcons

Une structure invisible supporte les poutres ondulantes sur lesquelles s'appuient les murs courbes de la façade. Des balcons en fer forgé tarabiscoté *(ci-dessus)* ornent la façade de cet immeuble qui semble défier les lois de la gravité.

3 Espai Gaudí

Dessins, photos, maquettes et films expliquent la magie de l'œuvre de Gaudí. Le musée occupe les impressionnants combles voûtés de l'immeuble, qui comptent 270 arcs.

2 Le toit

Les sculptures du toit *(ci-dessus)* paraissent surréelles : cheminées semblables à des guerriers en armure et immenses tours d'aération *(ci-dessous)* aux formes étranges et organiques. Ne manquez pas la très belle vue sur l'Eixample.

 Autres bâtiments modernistes **p. 32-33**

4 El Pis de la Pedrera

Cet appartement reconstitue un intérieur bourgeois au style conservateur de la fin du XIXe s. *(droite)*. Le contraste entre les meubles conventionnels et l'exubérance farfelue de l'immeuble est très fort. Pourtant, il s'agit de la même époque…

5 La cour intérieure : C/Provença

Chaque jour, une armada de guides dirige la foule des touristes dans cette cour pour admirer le féerique escalier en colimaçon orné de mosaïques et de peintures murales.

6 Les portails

Le fin travail de ferronnerie des énormes grilles en fer forgé rappelle que Gaudí est la 5e génération d'une famille de ferronniers dont l'art est omniprésent dans son œuvre.

7 Les expositions temporaires

La Caixa de Catalunya organise des expositions gratuites d'artistes célèbres comme, il y a peu, Marc Chagall, Salvador Dalí et Francis Bacon. Le plafond *(ci-dessus)* de la salle d'exposition semble avoir été recouvert de blanc d'œufs battus !

8 La cour intérieure : Pg de Gràcia

Cette cour abrite, comme la première, un grand escalier *(gauche)*. Le plafond de celui-ci est décoré de motifs floraux.

9 L'auditorium

Au sous-sol, une salle de 250 places accueille régulièrement conférences et séminaires. Le jardin adjacent offre un peu de verdure.

10 La boutique

Dans ce large éventail d'objets inspirés de l'œuvre de Gaudí, on trouve notamment des répliques en bronze et en céramique des cheminées-guerriers.

Suivez le guide

L'accès aux deux cours et à la boutique se fait par l'entrée principale, C/Provença. L'ascenseur dessert l'Espai Gaudí (dernier étage), El Pis (4e) et le toit. Les expositions temporaires ont lieu dans l'espace situé en haut de l'escalier de la cour du Pg de Gràcia.

 Informations sur Antoni Gaudí p. 11

TOP 10 Fundació Joan Miró

Splendide hommage à cet artiste catalan si présent dans la ville, la fondation, créée en 1975 par Joan Miró lui-même, possède plus de 11 000 peintures, croquis et sculptures fantasques et colorés. Les quelque 400 œuvres exposées retracent l'extraordinaire itinéraire de cet artiste, du surréalisme des années 1920 à l'engagement et à la provocation des années 1960.

Façade de la fondation

🍽 Le restaurant de la fondation est l'un des meilleurs du quartier *(p. 95)*.

⏱ En été, en général le jeudi soir, l'Auditorium accueille des concerts de musique expérimentale.

Pour des cadeaux originaux, la boutique propose un large choix d'objets « à la Miró », du linge de table aux flûtes à champagne.

• Av. Miramar,
Parc de Montjuïc
• Plan B4
• 93 443 94 70
• www.bcn.fjmiro.es
• Métro Paral·lel,
puis funiculaire
• Ouv. mar.-mer. et ven.-
sam. 10h-19h (20h juil.-
sept.), jeu. 10h-21h30,
dim. 10h-14h30
• AH

À ne pas manquer

1. *Tapis de la Fundació* (1979)
2. *L'Estel Matinal* (1940)
3. *Pagès Català al Cla de Lluna* (1968)
4. *Home i Dona Davant un Munt d'Excrement* (1935)
5. *Sèrie Barcelona* (1944)
6. *Font de Mercuri* (1937)
7. Les sculptures
8. La terrasse
9. Les expositions temporaires
10. Espai 13

1 Tapis de la Fundació
Miró commença à réaliser des tapisseries dans les années 1970. Celle-ci *(droite)*, immense et très colorée, est l'une de ses plus belles.

2 L'Estel Matinal
La série *Les Constellations* comprend 23 peintures sur papier. *L'Étoile du matin*, la seule peinture de la série que possède la fondation, témoigne de l'état d'esprit de Miró réfugié en Normandie au début de la Seconde Guerre mondiale : oiseaux émaciés, femmes et corps célestes flottent suspendus dans le vide.

3 Pagès Català al Cla de Lluna
Tableau de la fin des années 1960, *Paysan catalan au clair de lune (gauche)* décline deux thèmes chers à Miró : la terre et la nuit. On reconnaît difficilement la figure du paysan représenté par un simple collage de couleur. Mais sa faux, plus identifiable, devient le croissant de lune et le ciel nocturne prend la riche tonalité verte de la terre.

 Autre musée d'art contemporain, le MACBA p. 28-29

Home i Dona Davant un Munt d'Excrement
Déformées, les figures à demi abstraites d'*Homme et Femme devant une pile d'excréments (droite)* cherchent à se rejoindre sur un fond de ciel noir. Le pessimisme de Miró sera bientôt confirmé par le début de la guerre civile espagnole.

Sèrie Barcelona
La Fondation possède la série complète de cette cinquantaine de lithographies en noir et blanc. Malheureusement, la *Sèrie Barcelona* est rarement exposée.

Font de Mercuri
En signe d'amitié pour Miró, Alexander Calder fit don à la fondation de sa *Fontaine de Mercure*, une œuvre antifasciste conçue en mémoire de l'attaque de la ville d'Almadén.

Les sculptures
Les sculptures réalisées par Miró du milieu des années 1940 à la fin des années 1950 sont présentées dans la Sala Escultura *(ci-dessus)*. Il travailla d'abord la céramique, puis le bronze ; enfin, il ajouta des objets récupérés et peints. *Oiseau Soleil* et *Oiseau Lune* (1946-1949) sont deux chefs-d'œuvre.

La terrasse
D'autres sculptures colorées et joyeuses décorent la grande terrasse du musée *(droite)* dominée par *La Caresse d'un Oiseau* (1967), haute de 3 m. La terrasse permet non seulement un regard sur l'architecture fonctionnaliste et rationaliste de Josep Lluis Sert mais aussi sur Barcelone.

Espai 13
Cet espace présente les œuvres expérimentales de jeunes artistes du monde entier. Chaque année, un thème différent est proposé. Les pièces exposées font une large place aux nouvelles technologies.

Les expositions temporaires
Les expositions temporaires se tiennent généralement dans l'aile ouest du musée. Des rétrospectives d'artistes célèbres y ont lieu.

Suivez le guide
La Fondation a célébré son 25ᵉ anniversaire en 2001 avec l'ouverture d'une nouvelle salle, la Sala K, qui abrite 25 toiles de Miró, prêt à long terme d'un collectionneur privé.

La fondation n'expose qu'une partie à la fois de sa très vaste collection.

23

ᵀᴼᴾ10 Museu Picasso

Ce musée abrite la plus grande collection au monde d'œuvres de jeunesse de Pablo Picasso (1881-1973), probablement le plus célèbre artiste du xxᵉ s. À dix ans, Picasso montrait déjà des dons artistiques exceptionnels. À 14 ans, il quitte avec sa famille La Corogne pour s'installer à Barcelone où il entre à l'Académie des beaux-arts. Croquis extraits de ses cahiers d'écoliers, portraits de sa famille, œuvres des périodes bleue et rose : le musée Picasso représente une chance unique de découvrir l'œuvre réalisée par l'artiste avant sa consécration internationale.

Entrée du musée,
Carrer Montcada

🅒 La visite du musée Picasso peut s'achever au café d'un autre musée : prenez un verre ou un repas léger dans le joli patio du Museu Tèxtil, voisin (p. 42).

🅒 Le Museu Picasso occupe cinq palais médiévaux reliés par des cours intérieures ombragées ; toutes sont accessibles.

- C/Montcada 15-23
- Plan P4
- 93 319 63 10
- www.museupicasso. bcn.es
- Métro Jaume I
- Ouv. mar.-sam. et fêtes 10h-20h, dim. 10h-15h
- EP 4,80 € (collection permanente), 4,80 € (expositions temporaires), 7,80 € (les deux), EG 1ᵉʳ dim. du mois
- AH

À ne pas manquer

1. *Hombre con Boina* (1895)
2. *Autoretrato con Peluca* (1896)
3. *Ciencia y Caridad* (1897)
4. Menu d'Els Quatre Gats (1899–1900)
5. *La Espera* et *La Nana* (1901)
6. *El Loco* (1904)
7. *Arlequín* (1917)
8. Esquisse pour *Guernica* (1917)
9. *Hombre Sentado* (1917)
10. La série *Las Meninas* (1957)

1 Hombre con Boina

Le sujet et les traits de pinceau de ce pénétrant portrait *(ci-dessous)* démontrent le talent d'un garçon d'à peine 14 ans. Ni petits chiens ni voitures de course : le jeune Picasso préfère peindre le portrait des anciens du village. Il signe cette œuvre P. Ruiz, le nom de son père (Picasso étant celui de sa mère).

2 Autoretrato con Peluca

À 15 ans, Picasso réalise plusieurs autoportraits, dont l'*Autoportrait à la perruque*, une référence fantaisiste à Vélasquez, un peintre qu'il admire.

3 Ciencia y Caridad

Le père de Picasso a servi de modèle pour le médecin de *Science et Charité*, un des premiers tableaux que l'artiste exposa.

4 Menu d'Els Quatre Gats

En 1900, Picasso expose pour la première fois à Barcelone, au café El Quatre Gats dans le Barri Gòtic (p. 44). Sa première commande sera le menu de ce café bohème : un dessin à la plume où il figure avec un groupe d'amis artistes, tous en chapeau haut-de-forme.

5 La Espera et La Nana

On reconnaît les premiers essais de pointillisme du peintre dans *La Espera*, portrait d'une prostituée attendant un client *(centre)*, mais aussi dans *La Nana*, le portrait d'une danseuse naine outrageusement fardée dont le regard provocant est remarquablement capturé.

6 El Loco

Le Fou (gauche) est un bel exemple de la période bleue (1901-1904), quand Picasso aimait les thèmes mélancoliques et les couleurs sourdes.

7 Arlequin

La période rose exprime plus d'optimisme. Le tableau *Arlequin*, peint à cette époque, célèbre la liberté insouciante des artistes de cirque.

8 Esquisse pour Guernica

Le cheval affolé du croquis réapparaîtra dans la version finale de *Guernica*, qui dénonce les horreurs de la guerre civile. On découvre ainsi le processus artistique qui a mené au plus célèbre tableau de Picasso.

9 Hombre Sentado

Des œuvres comme *Homme assis (droite)* confirment, que Picasso fut probablement le plus grand peintre cubiste du xxe s.

10 La série Las Meninas

Cette suite de croquis et de peintures *(ci-dessous)*, inspirée du chef-d'œuvre de Vélasquez *Les Ménines*, montre l'admiration de Picasso pour le peintre.

Suivez le guide

Le musée occupe cinq palais médiévaux reliés entre eux. Les rez-de-chaussée et 1er étage des trois premiers abritent la collection permanente, présentée chronologiquement. Les 1er et 2e étages des deux derniers accueillent les expositions temporaires (souvent consacrées à des peintres modernes).

Autres visites dans le Barri Gòtic et la Ribera p. 70-73

🔟 Palau de la Música Catalana

Cette splendide salle de concerts (1905-1908) conçue par le célèbre architecte Lluís Domènech i Montaner est incontestablement un des chefs-d'œuvre du Modernisme. La façade, toute de briques et de mosaïques polychromes, donne un avant-goût de l'intérieur : « le jardin de musique » comme l'appelait l'architecte. Le foyer est recouvert de motifs floraux et la salle de concerts, aussi large que haute, est une véritable célébration de la nature. Son plafond, un dôme inversé en vitrail, laisse entrer la lumière naturelle et éclabousse d'or la salle.

Façade du Palau de la Música Catalana

🍷 **Le bar Modernista**, situé derrière le foyer, est le lieu idéal où prendre un verre avant un concert.

🎵 **Des concerts à prix réduits** ont lieu deux fois par mois vers 18h-19h, le sam. (sept.-juin) ou le dim. (fév.-mai).

Les places pour les concerts et les visites guidées sont en vente à proximité du Palau, C/Sant Francesc de Paula 2 (93 295 72 00), ouv. t.l.j. 7h-21h.

- C/Sant Pere Mes Alt
- Plan N2
- 93 295 72 00
- www.palaumusica.org
- Métro Urquinaona
- Vi. gui. toutes les 1/2h t.l.j. 10h-15h30
- EP 4,80 €
- AH limité

À ne pas manquer

1. Le dôme inversé
2. La scène
3. Les vitraux des fenêtres
4. Les bustes
5. Les chevaux ailés
6. Le salon de musique de chambre
7. La salle Lluís Millet
8. Le foyer et le bar
9. La façade
10. Le programme

1 Le dôme inversé

Le fabuleux dôme inversé en vitrail coloré *(droite)* est entouré de 40 anges. Durant la journée, la lumière traverse à flots les vitraux rouges et orange, et illumine la salle.

3 Les vitraux des fenêtres

Estompant la limite entre l'intérieur et l'extérieur, Domènech a entouré la salle de grandes fenêtres à vitraux qui laissent entrer le soleil ou les couleurs d'un ciel menaçant.

2 La scène

La scène principale *(ci-dessus)* reste animée même quand personne ne s'y produit : de l'arrière-plan surgissent 18 muses en terre cuite et en mosaïque, jouant de la harpe, des castagnettes et d'autres instruments.

➡ *Autres bâtiments modernistes p. 32-33*

Les bustes
4 À l'intérieur de la salle, le buste du compositeur Josep Anselm Clavé (1824-1874) symbolise la musique catalane tandis que celui de Beethoven *(ci-dessus)*, de l'autre côté de la scène, se réfère à la musique classique internationale.

Les chevaux ailés
5 Surgissant du plafond, les chevaux ailés du sculpteur Eusebi Arnau apportent mouvement et fougue à la décoration de la salle. Au-dessus de la scène, le char des Walkyries de Wagner bondit.

Le salon de musique de chambre
6 À l'étage inférieur, ce salon semi-circulaire conçu pour les répétitions possède une excellente acoustique. La pierre de fondation, au milieu, commémore la construction de l'édifice.

La salle Lluís Millet
7 Cette salle, qui porte le nom d'un célèbre compositeur catalan, est ornée de vitraux remarquables. De magnifiques mosaïques décorent les colonnes de son grand balcon *(droite)*.

Le foyer et le bar
8 L'emploi de la mosaïque, de la pierre, du bois, du marbre et du verre est caractéristique du Modernisme. Domènech utilisa tous ces matériaux, notamment pour le foyer et le bar *(ci-dessous)*.

La façade
9 Chaque détail de l'imposante façade *(ci-dessous)* est une merveille moderniste. Une mosaïque représente la création de l'Orfeó Català en 1891.

Le programme
10 Plus de 300 concerts et spectacles de danse ont lieu chaque année dans ce décor exceptionnel. Le festival de musique et de danse traditionnelles catalanes, *Cobla, Cor i Danza*, débute au mois de février.

L'Orfeó Català

L'Orfeó Català est sans doute le chœur le plus célèbre à se produire dans cette salle. C'est d'ailleurs pour lui que le Palau de la Música Catalana a été construit. Tous les 26 décembre, ce chœur de 90 voix donne un récital. Pensez à réserver.

Autres visites dans le Barri Gòtic et la Ribera p. **70-73**

⑩ Museu d'Art Contemporani et Centre de Cultura Contemporània

Le contraste est absolu entre la blancheur éclatante du Museu d'Art Contemporani (MACBA) et les ruelles sombres qui l'entourent. Depuis sa création en 1995, le musée forme avec le Centre de Cultura Contemporània (CCCB) un fort pôle d'attraction et a joué un rôle important dans la réhabilitation du quartier d'El Raval. La collection permanente du MACBA comprend des œuvres d'artistes contemporains de renom, espagnols et étrangers. Les excellentes expositions temporaires présentent des créations variées allant de la peinture aux installations vidéo. Le CCCB organise des expositions, des projections de film et des conférences.

Espace d'exposition du MACBA

🍴 **Le restaurant Plaça dels Àngels, sur la place du même nom, sert des plats catalans « cuisine nouvelle » bon marché à une clientèle branchée.**

🕐 **Le 1ᵉʳ dim. du mois, l'entrée au MACBA est gratuite.**

- MACBA
- Plaça dels Àngels
- Plan K2
- Métro Catalunya
- 93 412 08 10
- www.macba.es
- Ouv. lun. et mer.-ven. 11h-19h30, sam. 10h-20h et dim. 10h-15h
- EP 4,80 €
- AH

- CCCB
- C/Montalegre 5
- Plan K1
- Métro Catalunya
- 93 306 41 00
- www.cccb.org
- Ouv. jan.-sept. mar.-sam. 11h-20h et dim. 11h-14h ; oct.-mai mar.-sam. 11h-14h et 16h-20h, dim. 11h-14h
- EP 3,60 €

À ne pas manquer

1. Les passerelles
2. Les expositions temporaires
3. La collection permanente
4. La façade
5. L'espace puzzle
6. *Réveil soudain*
7. Espaces de lecture et de repos
8. CCCB : El Patio de les Donnes
9. CCCB : les expositions temporaires
10. Plaça Joan Coromines

1 Les passerelles
Les étages sont reliés par des passerelles *(ci-dessus)* où la lumière est omniprésente. Avant d'entrer dans les espaces d'exposition, regardez à travers la façade de verre sur la Plaça dels Àngels.

3 La collection permanente
La MACBA possède plus de 2 000 œuvres, la plupart d'artistes européens, représentant les grands courants artistiques contemporains. Seuls 10% du fond sont exposés en alternance. Cette œuvre d'Eduardo Arranz Bravo *(droite)* s'intitule *Homea* (1974).

2 Les expositions temporaires
L'espace modulable consacré aux expositions temporaires accueille le meilleur de l'art contemporain, dernièrement Zush et le très en vue Dieter Roth.

⮞ *Autres musées p. 40-41*

4 La façade
La géométrie régulière et la couleur blanche du bâtiment conçu par l'Américain Richard Meier offre un contraste saisissant avec les vieux immeubles du quartier populaire d'El Raval. La façade *(centre)*, en verre, reflète les acrobaties des skateurs de la place.

5 L'espace puzzle
Au rez-de-chaussée, plusieurs tables attendent les amateurs de puzzles *(gauche)* qui pourront reconstituer des photos prises dans El Raval. Certaines images des habitants du quartier sont étonnantes.

6 Réveil soudain
À droite de l'entrée principale, se trouve un lit « déconstruit » *(ci-dessus)* réalisé entre 1992 et 1993 par Antoni Tàpies, un des artistes contemporains catalans les plus connus. C'est une des rares œuvres de la collection exposées de façon permanente.

7 Les espaces de lecture et de repos
Entre les différents espaces d'exposition, des canapés de cuir blanc sont à la disposition des visiteurs. On y trouve des casques d'écoute et des livres d'art : une invitation à la méditation et à la détente.

8 ECCCB : El Patio de les Donnes
Le CCCB occupe un hospice du XVIIIe s. qui donne dans la Carrer Montalegre. Une façade en verre ferme le patio *(gauche)*. Elle est inclinée et reflète ainsi les bâtiments d'origine. Cette juxtaposition du moderne à l'ancien est une réussite.

9 CCCB : les expositions temporaires
Les expositions du CCCB sont plus thématiques que monographiques, contrairement à celles du MACBA. Avec un festival de courts-métrages (sept.) et le festival techno Sònar (juin), le CCCB est toujours à la pointe des tendances.

10 Plaça Joan Coromines
Le charme de cette place réside dans l'hétérogénéité de ses édifices : l'ultra-moderne MACBA, le nouveau bâtiment de l'université, le classique CCCB et une église néo-romane du XIXe s. ! Elle accueille les terrasses des cafétérias du MACBA et du CCCB.

Suivez le guide
Bien que donnant tous les deux sur la Plaça Joan Coromines, le MACBA et le CCCB ont des entrées séparées. On accède au 1er par la Plaça dels Àngels et au 2e par la Carrer Montalegre. Les espaces d'exposition du MACBA comme du CCCB sont modulables.

→ *Autres visites dans El Raval* **p. 80-83**

Gauche **La *Setmana tràgica*, 1909** Droite **Les jeux Olympiques, 1992**

Un peu d'Histoire

1 Av. J.-C. : la fondation d'une cité

Au IIIe s. av. J.-C., le Carthaginois Hamilcar Barca fonde Barcino. Les Romains la conquièrent en 218 av. J.-C. ; elle jouera un second rôle après Tarragone (appelée alors Tarraco), capitale de la province.

2 IVe s.-XIe s. : les invasions

Alors que l'Empire romain se désagrège, les Wisigoths s'emparent de la ville au Ve s. puis, au VIIIe s., c'est le tour des Maures. En 801, Charlemagne conquiert la région.

3 XIIe s.-XVIe s. : naissance et mort de l'autonomie catalane

Affiche de l'Exposition universelle de 1929

Barcelone est la capitale d'un empire catalan qui comprend une bonne part de l'Espagne actuelle et des îles en Méditerranée. Sa fortune vient du commerce, mais la Castille obtient le monopole des échanges avec le Nouveau Monde. La dynastie catalane faiblit, Barcelone décline puis tombe sous domination castillane.

4 1640-1652 : la révolte catalane

En 1640, *els segadors* (« les moissonneurs ») mènent une révolte contre Madrid, alors sous la domination autrichienne des Habsbourg. La lutte se poursuit jusqu'en 1652, date de la défaite des Catalans et de leurs alliés français.

5 XIXe s. : la croissance industrielle

L'essor de l'industrie et du commerce avec les Amériques ranime la ville. Les immigrants affluent de la campagne, apportant les bases de la prospérité et celles de l'agitation politique. On abat les vieux murs de la ville, on trace les larges avenues de l'Eixample et les ouvriers investissent les vieux quartiers désertés par la bourgeoisie.

6 1888-1929 : la Renaixença

Les Expositions universelles de 1888 et 1929 témoignent de la prospérité retrouvée de la Catalogne. La culture catalane, sous l'impulsion de la bourgeoisie, connaît alors un renouveau, notamment en architecture, avec le mouvement moderniste, et dans les arts.

7 1909-1931 : les années révolutionnaires

Les mécontentements couvent chez les ouvriers, les royalistes, les républicains, les communistes, les fascistes, les anarchistes et les nationalistes catalans. En 1909, des manifestations contre la guerre du Maroc tournent à l'émeute. C'est la *Setmana tràgica*. Après quelques années de dictature, la République catalane est proclamée en 1931.

8 1936-1975 : la guerre civile et Franco

Barcelone résiste aux troupes franquistes de 1936 à 1939. Une vague de répression suit la défaite et l'enseignement du catalan est interdit.

9 1975-1980 : la transition démocratique

La mort de Franco en 1975 ouvre la voie à la démocratie. La langue catalane est de nouveau autorisée. Une nouvelle constitution est instaurée, la Catalogne obtient officiellement l'autonomie et son gouvernement est élu en 1980.

10 1992-aujourd'hui : les JO et l'avenir

Le succès des JO de 1992 propulse Barcelone sur la scène mondiale. Aujourd'hui, la ville est dirigée par une municipalité socialiste et tient à sa double identité, espagnole et catalane.

La guerre civile, 1936

Personnages historiques

1 Guifred le Velu
Le premier comte de Barcelone (mort en 897) est considéré comme le fondateur de la Catalogne.

2 Raymond Béranger IV
En épousant la princesse Pétronille en 1137, il réunit Catalogne et Aragon.

3 Jacques Iᵉʳ le Conquérant
Jacques Iᵉʳ le Conquérant (mort en 1276) s'empare des Baléares et de Valence, posant les fondations de l'Empire catalan.

4 Ramon Llull
Philosophe et missionnaire majorquin, Ramon Llull (mort en 1316) est le plus grand écrivain catalan du Moyen Âge.

5 Ferdinand le Catholique
Roi d'Aragon et de Catalogne (mort en 1516), il épouse Isabelle de Castille, ouvrant la voie à la création du royaume d'Espagne et à la fin de l'indépendance catalane.

6 Ildefons Cerdà
Urbaniste du XIXᵉ s., il dessine la trame urbaine de la Barcelone moderne.

7 Antoni Gaudí
Architecte original et passionné, il a conçu les plus célèbres monuments modernistes de Barcelone.

8 Francesc Macià
Cet homme politique, socialiste et nationaliste, a proclamé en 1931 la République catalane.

9 Lluís Companys
Exilé en France pendant la guerre civile, le président catalan y est arrêté en 1940 par la Gestapo, et livré à Franco qui le fait fusiller.

10 Jordi Pujol
Le parti conservateur Convergència i Unió de ce nationaliste modéré gouverne la Catalogne depuis 1980.

Vitraux, Casa Lleó Morera

⁑10 Bâtiments modernistes

1 Sagrada Família
Huit flèches vertigineuses et une multitude de sculptures ornent le chef-d'œuvre surréel de Gaudí. Sa construction, qui débuta en même temps que le mouvement moderniste, se poursuit toujours, un siècle plus tard. *p. 8-10.*

2 La Pedrera
Un immeuble incroyable : un toit étrange, une façade onduleuse, des balcons en fer forgé et des mosaïques dans les halls d'entrée… toute la fantaisie architecturale de Gaudí ! *p. 20-21.*

3 Palau de la Música Catalana
Célébration joyeuse de la musique catalane, cette splendide salle de concerts brille de tous ses vitraux, mosaïques et sculptures : un chef d'œuvre du Modernisme créé par Domènech i Montaner. Le travail

Toit et cheminées de la Casa Batlló

de Miquel Blay sur la façade est un des plus beaux exemples de la sculpture moderniste à Barcelone. *p. 26-27.*

4 Hospital de la Santa Creu i de Sant Pau
Commencé en 1905 par Domenech i Montaner et achevé par son fils en 1930, cet hôpital est un défi au plan en damier de l'Eixample : ses pavillons sont alignés sur deux avenues à 45 degrés par rapport aux rues du quartier. Les pavillons de l'hôpital sont décorés des mosaïques, vitraux et sculptures d'Eusebi Arnau. Les piliers octogonaux à chapiteaux fleuris sont inspirés de ceux du Monestir de Santes Creus *(p. 124)* situé au sud de Barcelone. *p. 103.*

5 Fundació Antoni Tàpies
Première œuvre moderniste de Domènech i Montaner, ce bâtiment fut construit en 1886 pour les éditions Montaner i Simon. Inspirée de l'art mudéjar, l'austère façade de briques rouges contraste avec la richesse de la décoration des édifices que l'architecte dessinera par la suite. Aujourd'hui occupé par la fondation Antoni-Tàpies, le bâtiment est couronné d'une sculpture géante de l'artiste catalan. *p. 104.*

6 Casa Batlló
Située dans la Mansana de la Discòrdia *(p. 103)*, cet édifice illustre l'attachement de Gaudí

Achetez le pass La Ruta Modernista *qui donne droit à des réductions sur l'entrée des principaux bâtiments modernistes* **p. 133**

à l'identité catalane. La Casa Batlló représente la légende de saint Georges, patron de la Catalogne *(p. 39)* : le toit est le dos du dragon, et les balcons en forme de masque, le crâne de ses victimes. Les mosaïques polychromes de la façade révèlent une grande maîtrise des couleurs et des matériaux.
🏛 *Pg de Gràcia 43*
● *Plan E2* ● *Fer. au public*

7 Casa Amatller

Les céramiques bleues, crème et rose, et des fleurons rouge sombre brillent sur la façade de cet édifice de la Mansana de la Discòrdia *(p. 103)*. L'architecte Puig i Cadafalch utilisait beaucoup la céramique, comme d'autres architectes modernistes. La Casa Amatller abrite aujourd'hui le Centre del Modernisme qui vend les billets pour *La Ruta modernista (p. 133)*.
🏛 *Pg de Gràcia 41* ● *Plan E2* ● *Ouv. lun.-sam. 10h-19h et dim. 10h-14h*
● *EG* ● *AH*

8 Palau Güell

La fantaisie inouïe de ce palais illustre la démarche expérimentale de Gaudí, notamment à travers l'emploi d'arcs paraboliques pour structurer l'espace. L'architecte a aussi utilisé des matériaux inhabituels, comme l'ébène et d'autres essences rares d'Amérique du Sud.
p. 81.

9 Casa de les Punxes (Casa Terrades)

Osant, comme peu d'autres, aller jusqu'au bout des obsessions

Casa de les Punxes

médiévales et gothiques des Modernistes, Puig i Cadafalch construit cet imposant bâtiment entre 1903 et 1905. La Casa Terrades a été surnommée la « Maison des Pointes » (Casa de les Punxes) en raison des flèches qui coiffent ses tours. La façade est cependant plus sobre que celle de bien d'autres bâtiments modernistes. 🏛 *Av. Diagonal 416* ● *Plan F2*
● *Fer. au public*

10 Casa Lleó Morera

Fer forgé, mosaïques, sculptures et vitraux créent ici la synthèse entre arts décoratifs et beaux-arts. L'intérieur de cette maison conçue par Domènech i Montaner abrite de belles sculptures d'Eusebi Arnau, et certains des plus beaux meubles modernistes. 🏛 *Pg de Gràcia 35*
● *Plan E3* ● *Fer. au public*

➡ *Pages suivantes* **Toit de La Pedrera**

Gauche **Plaça de Catalunya** Droite **Plaça Reial, Barri Gòtic**

Places de caractère

1 Plaça Reial
De majestueux bâtiments néoclassiques, des lampadaires modernistes dessinés par Gaudí et une touche exotique font de la Plaça Reial et de ses arcades un site unique au cœur du Barri Gòtic. Très animés, les cafés et les bars de la place sont un lieu de rendez-vous pour les habitants du centre. *p. 72.*

2 Plaça de Catalunya
Toute l'activité de la ville semble converger vers cette immense place. Terminus des bus de l'aéroport et des trains de la RENFE, arrêt de nombreuses lignes de bus et de métro, la Plaça de Catalunya est pour beaucoup de touristes la première image de Barcelone. Ici, le commerce est roi comme l'atteste la présence d'un magasin de la chaîne El Corte Inglès *(p.139),* incontournable en Espagne. Les pigeons, des orchestres péruviens et des sonos tonitruantes se partagent son centre, tandis que des hordes de voyageurs, routards ou groupes organisés, circulent dans tous les sens. La place compterait 25 résidents officieux, immigrants et sans-abri pour la plupart. ✎ *Plan M1*

3 Plaça del Rei
Située dans le Barri Gòtic, cette place médiévale remarquablement bien conservée est bordée de magnifiques bâtiments. Parmi eux, le Palau Reial *(p. 71)* du XIVe s. abrite le Saló del Tinell, une immense salle de banquet de style gothique catalan. ✎ *Plan N4*

4 Plaça de Sant Jaume
Cette place est le centre politique historique de la ville. Ici, les deux administrations les plus importantes de Barcelone se font face : le majestueux Palau de la Generalitat et l'Ajuntament du XVe s. *p. 71.*

Un café de la Plaça Sant Josep Oriol, Barri Gòtic

5 Plaça de Rius i Taulet

Le village de Gràcia a été absorbé par Barcelone en 1897 ; il est devenu un quartier bohème et alternatif où l'on se retrouve encore entre voisins pour prendre un verre sur une des *plaças* du quartier. La petite Plaça de Rius i Taulet, avec une grande tour-horloge au centre, est celle qui a le plus de charme. Les terrasses bondées et conviviales de ses cafés attirent les musiciens de rue. ✎ *Plan F1*

Façade, Plaça del Pi

6 Plaça de Sant Josep Oriol et Plaça del Pi

La Plaça de Sant Josep Oriol et la Plaça del Pi (*pi* signifie pin en catalan), contiguës, sont séparées par la belle église gothique Santa Maria del Pi. Vous y trouverez le charme de l'ancien et de nombreux cafés où l'on passe son temps à refaire le monde. ✎ *Plan M3 et M4*

7 Plaça Comercial

Le Passeig del Born, très animé, débouche sur la Plaça Comercial, bordée d'accueillantes terrasses. En face, le marché del Born du XIXᵉ s. est aujourd'hui fermé *(p. 72)*. ✎ *Plan P4*

8 Plaça del Sol

Blottie au cœur du quartier de Gràcia, la Plaça del Sol est entourée de beaux bâtiments du milieu du XIXᵉ s. À la tombée du jour, elle devient un lieu très animé. Cherchez la compagnie des Barcelonais attablés aux terrasses pour commencer votre soirée. ✎ *Plan F1*

9 Plaça de Santa Maria

Dans le quartier d'El Born, la superbe Església de Santa Maria del Mar *(p. 72)*, de style gothique, apporte calme et sérénité à la place du même nom. Assis à une terrasse, profitez du soleil tout en observant les passants. ✎ *Plan N5*

10 Plaça de la Vila de Madrid

À deux pas de La Rambla *(p. 12-13)*, cette vaste place a été construite non loin du mur d'enceinte de la Barcino romaine. En 1957, une rangée de tombes datant du IIᵉ s. au IVᵉ s. y fut découverte. Des vestiges de cette nécropole sont visibles, mais les fouilles sont toujours en cours. ✎ *Plan M2*

Les parcs et les plages **p. 56-57**

Gauche **Església de Betlem** Droite **Temple Expiatori del Sagrat Cor**

🔟 Belles églises et chapelles

1 La cathédrale
La façade de la splendide cathédrale de style gothique de Barcelone est aussi fascinante que son cloître est paisible. *p. 14-15.*

2 Església de Santa Maria del Mar
Cette église (1329-1383) est un des plus beaux exemple du style gothique catalan, qui se caractérise par sa simplicité. Une spectaculaire rosace illumine la large nef. *p. 72.*

3 Monestir de Santa Maria de Pedralbes
Le monastère de Pedralbes *(p. 111)* abrite un splendide cloître gothique et la Capella de Sant Miquel, ornée de remarquables peintures murales réalisées en 1346 par l'artiste catalan Ferrer Bassa. La belle église gothique renferme le tombeau en albâtre de la reine Elisenda, fondatrice du couvent.
🔍 *C/Montevideo 14 • Plan A1 • Ouv. mar.-dim. 10h-14h et 19h-20h30*

4 Església de Sant Pau del Camp
Cette église du xᵉ s. appartenait à un monastère bénédictin fondé au ixᵉ s. par Guifre II, comte de Barcelone. Sa façade ornée et son cloître à arcs en plein cintre sont deux beaux exemples du style roman. *p. 83.*

5 Església de Sant Pere de les Puelles
Édifiée en 801 pour servir de chapelle à une garnison de Barcelone, cette église deviendra ensuite un lieu de retraite spirituelle pour les jeunes filles de la noblesse. Rebâtie au xiiᵉ s., l'église est remarquable pour sa coupole centrale romane et ses chapiteaux romans couronnés de feuilles d'acanthe. Les deux tablettes en pierre représentant une croix grecque proviennent de la 1ʳᵉ chapelle.
🔍 *Pl. de Sant Pere • Plan P2 • Ouv. t.l.j. 11h30-13h et 17h30-19h45*

Santa Eulàlia, cathédrale de Barcelone

6 Església de Santa Maria del Pi
Cette église gothique est en parfaite harmonie avec la place *(p. 37)* sur laquelle elle se dresse. Remarquez ses beaux vitraux. 🔍 *Pl. del Pi • Plan L3 • Ouv. t.l.j. 9h-13h30 et 16h30-21h • AH*

7 Capella de Santa Àgata
Derrière les hauts murs du Palau Reial *(p. 71)* se cache cette chapelle du Moyen Âge, remarquable pour ses vitraux et son retable du xvᵉ s. 🔍 *Pl. del Rei • Plan N3 • Ouv. mar.-sam. 10h-20h (fer. 14h-16h oct.-mai) et dim. 10h-14h • EP*

8 Temple Expiatori del Sagrat Cor

Le mont Tibidabo, qui surplombe la ville, est un emplacement idéal pour cette immense église néogothique couronnée d'un Christ doré ouvrant les bras.

Tibidabo signifie « je te le donnerai » en latin. Ce sont les mots qu'adressa Satan au Christ lorsqu'il chercha à le corrompre en lui montrant le monde. Les prêtres, entièrement au service des fidèles, célèbrent l'Eucharistie toute la journée.
❧ Tibidabo • Plan B1 • Ouv. t.l.j. 10h-19h

9 Capella de Sant Jordi

Le Palau de la Generalitat (p. 71) abrite cette belle chapelle du XVe s. dédiée au saint patron de la Catalogne.
❧ Pl. Sant Jaume • Plan M4 • Vi. gui. 2e et 4e dim. du mois 10h-13h30

10 Església de Betlem

Plusieurs édifices religieux ont été construits le long de La Rambla aux XVIIe s. et XVIIIe s., durant la période faste de l'Église. L'Església de Betlem est la seule église encore active. ❧ C/Xuclà 2 • Plan L3 • Ouv. t.l.j. 8h-13h30 et 17h30-20h • AH

Nef gothique, Capella de Santa Àgata

Les saints patrons de la Catalogne

1 Sant Jordi
Saint Georges, le patron de la Catalogne et vainqueur du fameux dragon, est représenté partout dans la ville.

2 La Mercè
Sainte patronne de Barcelone depuis 1637. Les Festes de la Mercè (p. 64), en son honneur, sont les festivités les plus débridées de la ville.

3 La vierge de Montserrat
La célèbre Vierge noire catalane protège Barcelone.

4 Santa Eulàlia
Sainte Eulalie, martyrisée au IIIe s. par les Romains, est la première sainte patronne de la ville.

5 Santa Elena
Selon la légende, sainte Hélène se serait convertie au christianisme après avoir découvert la sainte Croix à Jérusalem en 346.

6 Santa Llúcia
Sainte Lucie, patronne des aveugles, est fêtée le 13 décembre dans la cathédrale où une chapelle (p. 15) lui est dédiée.

7 Sant Cristòfol
Faute de preuves de son existence, Christophe n'est pas un saint officiel, mais les voyageurs le considèrent comme leur protecteur.

8 Sant Antoni de Padua
Le 13 juin, les célibataires désireux de se marier prient le saint patron de l'amour.

9 Santa Rita
Patronne des causes désespérées, sainte Rita est implorée par ceux qui croient aux miracles.

10 Sant Joan
La nuit de la Saint-Jean (p. 64) se fête par des feux de joie et des feux d'artifice.

Gauche *Peix*, Frank Gehry Droite **Stade de Camp Nou**

ⁱ⁰10 Musées

1 Museu Nacional d'Art de Catalunya

Ce musée, qui occupe le Palau Nacional (1929), abrite une impressionnante collection d'art catalan roman et gothique. Les fresques romanes provenant d'églises des Pyrénées catalanes sont remarquables. *p. 18-19.*

2 Fundació Joan Miró

Hautes et spacieuses, les salles d'exposition de ce superbe musée sont le lieu idéal pour l'œuvre abstraite et colorée de Joan Miró, un des plus célèbres artistes catalans du xxᵉ s. *p.22-23.*

3 Museu Picasso

On assiste à l'éclosion et à l'essor vertigineux du génie artistique de Picasso dans ce musée rassemblant une des plus vastes collections de ses œuvres de jeunesse. *p. 24-25.*

4 Museu d'Art Contemporani et Centre de Cultura Contemporània

Le MACBA, inauguré en 1995, forme avec le CCCB voisin un pôle artistique et culturel au cœur du quartier d'El Raval. Tous deux accueillent des expositions temporaires : artistes contemporains au MACBA, expositions thématiques au CCCB. *p. 28-29.*

5 Fundació Tàpies

Un beau bâtiment moderniste abrite les œuvres de l'artiste catalan Antoni Tàpies. La collection comprend ses premiers collages, mais aussi de grandes peintures abstraites, la plupart porteuses d'un message social ou politique. *p. 104.*

Terrasse de la Fundació Tàpies

6 Museu d'Història de la Ciutat

Le musée d'Histoire de la ville occupe une partie du Palau Reial et de la Casa Padellàs (xvᵉ s.), deux bâtiments qui, avec la Plaça Reial où ils se trouvent, vous ramèneront au Moyen Âge. Sa visite permet de voir des vestiges de la Barcelone romaine. *p. 71.*

Blason du FC Barcelone

7 Museu del FC Barcelona

D'innombrables fans rendent hommage au club de football barcelonais dans ce temple où coupes, affiches et autres souvenirs célèbrent son histoire centenaire. Le stade Camp Nou, à côté, se visite lui aussi. *p. 111.*

Museu Marítim

8 L'épopée maritime de Barcelone, du Moyen Âge au XIXᵉ s., est retracée dans les grandes salles voûtées des Drassanes Reials, les chantiers navals du XIIIᵉ s. Des maquettes, des cartes et des instruments de navigation y sont exposés. On peut même y voir la réplique grandeur nature de la *Real*. Cette galère commandée par Don Juan d'Autriche a mené les chrétiens à la victoire contre les Turcs, dans le golfe de Lépante en 1571. *p. 81.*

Museu Frederic Marès

9 Le sculpteur catalan Frederic Marès (1893-1991) était un collectionneur passionné aux goûts éclectiques.

Ce musée présente les innombrables trouvailles qu'il a rapportées de ses voyages : des statues religieuses romanes et gothiques, et une collection d'objets allant des poupées aux éventails, en passant par les pipes et les cannes. *p. 72.*

Vierge, Museu Frederic Marès

Collecció Thyssen-Bornemisza, Monestir de Pedralbes

10 Le paisible monastère de Pedralbes du XIVᵉ s. abrite dans un de ses anciens dortoirs une superbe collection de peintures religieuses de maîtres espagnols, italiens et flamands, notamment des œuvres du Tintoret, de Zurbarán, de Titien, de Vélasquez et de Rubens. *p. 112.*

Monuments et musées insolites

Museu de Carrosses Pompes Fúnebres

1 Une collection de corbillards de la fin du XIXᵉ s. 🕙 *C/Sancho d'Ávila 2 • Plan G3*

Museu de l'Eròtica

2 Le sexe au fil de l'Histoire, des dessins du Kama Sutra aux affiches licencieuses de cinéma. 🕙 *La Rambla 96 • Plan L3*

Museu de Clavegueram

3 La Barcelone souterraine, avec la visite des égouts de la ville. 🕙 *Pg de Sant Joan 98 • Plan F2*

Museu dels Autòmates

4 Automates à formes humaine et animale. 🕙 *Parc d'Atraccions del Tibidabo • Plan B1*

Museu de la Xocolata

5 Le chocolat est à l'honneur avec des présentations interactives, des dégustations et des maquettes comestibles de la ville. 🕙 *Pl. Pons i Clerch • Plan P4*

Museu de Cera

6 Plus de 350 personnages de cire : Marylin Monroe, Gaudí mais aussi Franco. 🕙 *Ptge de la Banca 7 • Plan L5*

Museu del Calçat

7 Des chaussures de toutes les époques et de célébrités. 🕙 *Pl. de Sant Felip Neri 5 • M3*

Museu del Perfum

8 Des flacons de parfum par centaines, de l'époque romaine à nos jours. 🕙 *Pg de Gràcia 39 • E2*

Cap de Barcelona

9 *Le Visage de Barcelone* (1992) par l'artiste pop Roy Lichtenstein. 🕙 *Pg de Colom • Plan N5*

Peix

10 Un grand poisson miroitant (1992) dessiné par Frank Gehry 🕙 *Port Olímpic • Plan G5.*

➲ *Une fois par mois, l'entrée est gratuite dans de nombreux musées* **p. 140**

41

Gauche **Cafè de l'Òpera, La Rambla** Droite **Restaurant en bord de mer, Port Vell**

¹⁰ Cafés et bars

1 Cafè Zurich
Un emplacement idéal, voilà le secret de ce grand café moderniste situé à un angle de la Plaça de Catalunya, le cœur de la ville. Ce lieu de rencontre très animé est bondé à toute heure de Barcelonais et de touristes. ◉ *Pl. de Catalunya 1 • Plan M1*

2 Cafè de l'Òpera
Situé en face du Liceu, ce qui explique son nom, cet élégant café de la fin du XIXᵉ s. accueille une clientèle très mélangée. Commandez à l'un des *cambrers* (garçons de café) de cette ancienne *xocolateria* des *xurros amb xocolata* (des beignets accompagnés d'un chocolat épais) et regardez les passants déambuler le lond de La Rambla. ◉ *La Rambla 74 • Plan L4*

Cafè Zurich, Plaça de Catalunya

3 Tèxtil Cafè
Très ensoleillé, le patio de ce café est un endroit rêvé pour faire une pause loin du monde extérieur. Optez pour une des salades méditerranéennes si rafraîchissantes, par exemple l'*amanida tèxtil* (fromage de chèvre, artichauts et salade), ou un des classiques orientaux : caviar d'aubergines ou couscous. ◉ *C/Montcada 12-14 • Plan P4 • Fer. lun.*

4 Bar-Restaurant Hivernacle
Après une promenade dans le Parc de la Ciutadella *(p. 16-17)* faites halte sous la verrière de l'Hivernacle (XIXᵉ s.), au milieu des plantes tropicales. Buvez un café frappé ou un *cava* bien frais et, si vous avez une petite faim, dégustez calmars grillés, anchois et sandwichs… au *manchego* (un fromage). ◉ *Pg Picasso • Plan Q4 • Fer. dim. soir*

5 Cafè-Bar del Pi
Terminez votre visite du Barri Gòtic par *una copa* (un verre) et *una xerrada* (une conversation) à la terrasse de ce minuscule café très animé. *p. 78.*

6 Bar Kasparo
Dans ce bar en plein air à l'ambiance chaleureuse, on peut venir manger une cuisine internationale, par exemple une salade grecque ou un curry de poulet ou encore, à l'heure où le soleil se couche, simplement pour une bière ou un verre de cidre. ◉ *Pl. Vicenç Martorell 4 • Plan L2*

➜ *Tous les noms de plats et de boissons sont en catalan, mais l'équivalent castillan est souvent utilisé.*

7 Cafè Salambó
Ce café-loft très chic accueille les intellos et les branchés du quartier de Gràcia. On y passe l'après-midi en buvant un *café amb llet* fumant, ou en grignotant une salade ou un *entrepans* (sandwichs). *p. 115.*

Cafè Salambó, Gràcia

8 Laie Llibreria Cafè
Ce café-librairie de l'Eixample propose un généreux buffet de riz, pâtes, verdure et poulet, entre autres, ou un menu végétarien, comprenant soupe, salade et plat principal, à un prix très raisonnable. Ce lieu informel, où l'on peut se restaurer à toute heure du jour, est une véritable institution dans le quartier. *p. 108.*

9 Granja Dulcinea
Depuis des décennies, les *xocolateries* et *granjes* de la Carrer Petritxol *(p. 74)* comblent les amateurs de douceurs. Dans ce salon de thé, les desserts sont à se damner : *xurros amb xocolata*, fraises à la crème fouettée et, en été, *orxates* et *granissats*. ✎ *C/Petritxol 2 • Plan L3 • Ferme à 21h*

10 El Bosc de les Fades
Un café sombre, irréel, fantastique, plein de faux arbres noueux, de petits coins intimes, et où gazouille un petit ruisseau. Commandez une des spécialités à base de café ou un cocktail. ✎ *Ptge de la Banca • Plan L5*

Boissons

1 Cafè amb llet
C'est le grand café au lait traditionnel du petit déjeuner.

2 Cafè Sol et Tallat
Besoin d'un stimulant ? Goûtez le *café sol*, un petit espresso. Avec une pointe de lait, c'est un *tallat*. En été, prenez-les *amb gel* (glacé).

3 Cigaló ou carajillo
Plus stimulant qu'un espresso, ce café est arrosé d'alcool, le plus souvent de cognac, de whisky ou de rhum.

4 Orxata
Très rafraîchissante en été, cette boisson laiteuse sucrée au goût d'amande est obtenue à partir du suc des racines de la chufa, une plante.

5 Granissat
La soif ne résiste pas à cette boisson à base de glace pilée mélangée à un jus de citron ou à du café.

6 Aigua
Demandez de l'*aigua amb gas* pour de l'eau minérale pétillante, et *sense gas* pour de l'eau minérale plate.

7 Cacaolat
Les amoureux du chocolat raffoleront de cette boisson chocolatée au lait.

8 Una Canya et Una Clara
Una canya correspond à 25 cl de *cervesa de barril* (bière à la pression). *Una clara* est un panaché bière-limonade.

9 Cava
C'est le champagne catalan. Les marques les plus connues sont Freixenet et Cordoníu.

10 Sangria
Tous les cafés de la ville proposent ce mélange de vin rouge, de fruits et d'épices.

➡ *Informations sur la cuisine et les restaurants* p. 138 *et* p. 140

Gauche **Flash Flash** Droite **Tragaluz**

⁸⁄10 Restaurants et bars à tapas

1 Cal Pep

Ce bar à tapas traditionnel et plein d'animation sert d'excellents jambons et saucisses, des portions de *truita de patates* (omelette aux pommes de terre), des *marisc* (coquillages) et un assortiment de tapas du jour, en fonction du marché. *p. 79.*

Enseigne en céramique
d'un restaurant

2 Tragaluz

Ce restaurant très tendance décoré par le designer Javier Mariscal, une star à Barcelone, doit son nom aux verrières du plafond qui inondent l'intérieur de lumière *(traga luz)*. Le soir, on dîne sous les étoiles. Au menu, spécialités méditerranéennes ; optez pour le homard ou les pâtes aux asperges. *p. 109.*

3 El Asador d'Aranda

Perché sur la colline du Tibidabo, ce restaurant installé dans une demeure moderniste propose le meilleur de la cuisine castillane. Les entrées sont copieuses. Goûtez la *pica pica*, un mélange de saucisses,

Paella

poivrons et jambon. La spécialité du chef est le *lezacho* (agneau de lait) cuit au four à bois. *p. 117.*

4 Agua

Un restaurant très classe avec une belle et agréable terrasse en front de mer. À la carte : une cuisine méditerranéenne raffinée et la pêche du jour. Le carpaccio de *rapè* (lotte) est délicieux. *p. 101.*

5 Can Culleretes

Plafond à poutres, photos de clients célèbres au mur, c'est un des plus anciens restaurants d'Espagne (1796). On y sert une copieuse cuisine catalane, goûtez l'oie aux pommes ou le canard aux pruneaux. ✆ *C/Quintana 5 • Plan L4 • 93 317 30 22 • Fermé le lun. • €€*

6 Bar Ra

Ce bar-café-restaurant est une oasis fleurie dans El Raval et le meilleur endroit où manger une cuisine bio et exotique. Pour commencer la journée, muesli ou muffins avec jus frais de papayes ou de poires. Midi ou soir, tofu japonais, *ceviche* péruvien (poisson cru mariné au citron) ou poulet à la cubaine avec un chutney de mangue. *p. 87.*

7 Els Quatre Gats

Repaire de Picasso et de ses amis, ce bar-restaurant de la fin du XIXᵉ s. a abrité les nombreuses soirées d'une clientèle bohème.

 Tous les noms de plats et de boissons sont en catalan, mais l'équivalent castillan est souvent utilisé.

Au milieu des copies d'œuvres des artistes qui y ont trouvé l'inspiration, on sert une copieuse cuisine catalane. ◎ C/Montsió 3 • Plan M2 • 93 302 41 40 • Fer. dim. midi • €€

Casa Leopoldo
8 Ce restaurant familial prépare une excellente cuisine catalane. Le poisson et les crustacés sont la spécialité de la maison : goûtez leurs recettes originales de bacallà (morue), llenguado (sole) et gambes (crevettes). p. 87.

Bar-Restaurante Can Tòmas
9 Dans le quartier de Sarrià (Zona Alta), une adresse bon marché connue des amateurs de tapas pour les meilleures patates braves et patates amb alioli de la ville. Demandez le doble mixta... pour goûter aux deux. p. 117.

Terrasse du Bar Ra

Flash Flash
10 Essayez les banquettes en skaï de ce restaurant à la déco années 1960. On y sert toutes sortes de truites (omelettes) : au poulet et à la béchamel, au pain frit, au fromage et à la tomate, et même, en dessert, des omelettes sucrées, dont une incroyable omelette mousseuse fourrée aux pommes et généreusement arrosée de sirop. p. 117.

Tapas

Patates braves
1 Des pommes de terre sautées et nappées d'une sauce tomate épicée. Les patates alioli sont à la mayonnaise à l'ail.

Calamars
2 Les amateurs de produits de la mer apprécieront les calamars a la romana (frits) ou a la planxa (grillés).

Pa amb Tomàquet
3 Une spécialité catalane : du pain frotté avec une tomate et arrosé d'huile d'olive.

Croquetes
4 Un classique : des boulettes frites de pomme de terre, au jambon, au poulet ou au thon.

Musclos o Escopinyes
5 Régalez-vous de fruits de mer avec les savoureuses tapas à base de moules ou de coques.

Truita de Patates
6 La plus courante des tapas est cette épaisse omelette aux pommes de terre, souvent à l'ail.

Ensaladilla Russa
7 La « salade russe » combine pommes de terre, oignons, thon (et souvent petits pois, carottes et autres légumes), avec une généreuse dose de mayonnaise.

Gambes a l'Allet
8 Des crevettes frites à l'ail et à l'huile d'olive.

Pernil Serrà
9 Les Espagnols adorent toutes les variétés de jambon cru. La meilleure et la plus chère est le Jabugo andalou.

Fuet
10 Parmi les saucisses catalanes (embotits), la fuet, sèche et savoureuse, remporte tous les suffrages. C'est une spécialité de Vic.

Catégories de prix **p. 79**
Informations sur la cuisine et les restaurants **p. 138** et **p. 140**

Intérieur de bar, Zona Alta

🔟 Vie nocturne

1 Mirablau
De la terrasse de ce bar chic au sommet du Tibidabo, on voit scintiller les lumières de Barcelone. On partage sa soirée entre le bar et la piste de danse. La musique : classiques des années 1970 et 1980, et de la pop espagnole. p. 116.

2 Marsella
La 5e génération des Lamiel perpétue l'ambiance de ce lieu fondé en 1820 au cœur du Barri Xinès (p. 82). Le Marsella est un des rares endroits où l'on peut boire une absinthe (absenta). Installez-vous à une des tables modernistes en fer forgé, entouré de miroirs anciens et de statues religieuses, et méfiez-vous de cette liqueur verte spécialement mise en bouteille pour le bar. p. 86.

Décoration d'un bar barcelonais

3 Otto Zutz
Une adresse ultra-chic, ultra-branchée, et fréquentée par les enfants

Cocktail, Mirablau

gâtés des médias. Sur trois niveaux, tous les styles musicaux actuels, mixés par « la crème » des DJs. p. 116.

4 Mond Bar
Au cœur de Gràcia, ce minuscule bar branché accueille une clientèle très cool. On y vient pour prendre un verre, fumer et écouter la musique mixée par les DJs : techno, pop, soul et tous les classiques des années 1970. p. 116.

5 Salvation
Près du « Gayxample », zone du bas de l'Eixample où se sont implantés clubs et bars gays, une adresse où il faut être et être vu ! Remplies d'une foule de beaux hommes provocants amateurs de danse et de rencontres, les deux grandes pistes vibrent au rythme de la techno et de la musique des années 1970, 1980 et 1990, mixée par des DJs espagnols ou étrangers. ◈ C/Ronda Sant Pere 19-21 • Plan N1 • Fer. dim.-mer.

6 Torres de Ávila
Conçue par l'architecte Alfred Arribas et le designer Javier Mariscal, créateur de la mascotte des JO de 1992, cette discothèque complètement délirante occupe deux fausses tours médiévales (la réplique des tours d'enceinte d'Ávila) dans le Poble Espanyol (p. 91).

 Informations sur les boissons et les horaires des bars p. 138 et p. 140

Le prix d'entrée est certes élevé, mais il comprend une consommation. *p. 95.*

7 El Cafè que pone Muebles Navarro

Pionnier de la renaissance du quartier d'El Raval, ce spacieux *lounge* bar était auparavant un magasin de meubles. Les vieux canapés et fauteuils dispersés dans cet espace minimaliste en témoignent. Aujourd'hui, une foule branchée s'y installe confortablement pour prendre un verre ou grignoter. *p. 86.*

Au Port Olimpic

8 La Pedrera de Nit

De jour, le toit de La Pedrera *(p. 20-21)*, le célèbre bâtiment onduleux de Gaudí, est magique. De nuit, il est inoubliable ! L'été, de juillet à septembre, les vendredi et samedi soirs, le toit est ouvert au public pour des soirées avec concert et *cava*. Promenez-vous entre les cheminées illuminées qui brillent dans la nuit et laissez-vous bercer par un mélange de jazz, de flamenco et de tango.

Ⓢ *C/Provença 261–265* • *Plan E2*
• *Réservation indispensable au 902 10 12 12* • *EP* • *AH*

9 Jamboree

Aventurez-vous sous la Plaça Reial dans ce club de jazz doublé d'un night-club, réputé, donc très fréquenté. Jazz *live* tous les soirs à partir de 23h, des DJs prennent ensuite le relais. *p. 77.*

Torres de Ávila

10 Port Olimpic

Dès la tombée de la nuit et jusqu'au petit matin, le Port Olimpic se transforme en une immense piste de danse : une seule et longue file de bars et de night-clubs *(p. 100)*. Techno, salsa, techno, pop espagnole et encore de la techno, tous les goûts sont permis. Passez de l'un à l'autre (l'entrée est gratuite) et faites une pause cocktail (très chère !) à l'une des terrasses avant de rejoindre le tourbillon des danseurs. La plupart des discothèques s'animent après 22h et restent ouvertes jusqu'à 3h, voire 5h et plus.

Ⓢ *Moll de Mèstral* • *Plan G5*

➡️ *Autres bars et clubs dans la vieille ville* **p. 76-77** *et* **p. 86**

Gauche **Dans un club, Sitges** Droite **Restaurante Castro**

Rendez-vous gays et lesbiens

1 Antinous Llibreria-Cafè

Situé à l'extrémité sud de La Rambla, l'Antinous est un point de rendez-vous gay très fréquenté qui comprend : une grande boutique de cadeaux, de livres et de cassettes vidéo, et un petit bar où ont lieu des expositions. La revue gratuite *Nois*, pleine d'infos, y est disponible comme dans beaucoup de bars gays. ◊ *C/Josep Anselm Clavé 6* • *Plan L6* • *Fer. dim.* • *AH*

Une soirée au Free Girls

2 Topxi

C'est un des plus vieux clubs de Barcelone. Topxi a une petite *back-room* où action et anonymat sont garantis. Le propriétaire se travestit et donne avec deux autres *drag queens* un récital provocant des meilleures (et pires) chansons espagnoles. ◊ *C/València 358* • *Plan D2* • *EP parfois*

3 Restaurante Castro

Dans ce restaurant ultra-chic, on sert une copieuse cuisine méditerranéenne aux accents exotiques. Le cadre pseudo industriel noir et métallique est adouci par un éclairage tamisé et une musique relaxante. Il est indispensable de réserver, car c'est une adresse gay très fréquentée. ◊ *C/Casanova 85* • *Plan D2* • *93 323 67 84* • *Fer. sam. midi et dim* • *€€€*

4 Sauna Galilea

Dernier en date à Barcelone, cet établissement impeccablement tenu et réservé aux hommes offre sur quatre niveaux bains turcs, jacuzzis et saunas, ainsi qu'un bar, un accès Internet, et des cabines privées dont certaines avec vidéo. ◊ *C/Calàbria 59* • *Plan C3* • *EP*

5 Medusa et Zeltas

Ces deux bars-clubs, parmi les plus torrides de la ville, partagent la même entrée. Le Medusa, un loft, est plus branché, et le Zeltas, plus fréquenté. Un alliage d'hormones mâles et de boissons fortes sur fond de *house* y attire les beautés barcelonaises. ◊ *C/Casanova 75* • *Plan D3* • *EP parfois*

Livres, Antinous Llibreria-Cafè

Le Shangay Express *et le* b-guided (p. 134) *disponibles dans les bars, les boutiques et les discothèques, donnent de nombreuses adresses gays.*

Eagle
6 Tout peut arriver dans le club gay le plus hard de la ville, la nudité même est acceptée, voire encouragée si elle s'orne d'un attirail SM. Selon les habitants du quartier, le lieu est *morboso* (morbide). L'ambiance démarre vers minuit et il y a peu de chances que vous rentriez seul après. 🔊 *Pg Sant Joan 152 • Plan F2 • EP parfois*

Metro
7 Ici, il y a deux pistes de danse. La première vibre au son de la *house,* la deuxième possède un billard et est bien plus tranquille. Ce club s'anime vers 2 h du matin. Procurez-vous des entrées gratuites au restaurant gay Dietrich, à côté. 🔊 *C/Sepúlveda 185 • Plan J1 • EP*

Free Girls
8 Ce club, un classique des nuits lesbiennes, est réputé pour sa musique dance et ses très belles filles. Le décor glacial n'empêche pas les rencontres. Entrée réservée aux femmes. 🔊 *C/Marià Cubí 4 • Plan E1 • EP parfois*

Punto BCN
9 Ce bar accueillant et décontracté est à la mode depuis plus de 10 ans malgré l'inconstance du milieu gay, il est bondé et la musique est assourdissante, mais c'est un bon endroit où commencer sa soirée, car ici tout le monde sait ce qui se passe en ville. 🔊 *C/Muntaner 63 • Plan D3 • AH*

Plages
10 L'été, le rendez-vous des gays est la plage de la Barceloneta, près de la Plaça del Mar, devant le Club de Natació Barcelona. Au programme : soleil et frime. 🔊 *Plan E6*

Rendez-vous gays à Sitges

XXL
1 Pour les branchés. Joli décor, bon choix de boissons et techno. 🔊 *C/Joan Tarrida 7*

El Candil
2 Un classique : ce bar-discothèque est toujours, toujours bondé. 🔊 *Carreta 9*

El Mediterráneo
3 La déco originale des différents espaces de ce bar vaut le détour. 🔊 *C/Sant Bonaventura 6*

Trailer
4 On fait toujours des rencontres sympathiques dans le plus ancien club de Sitges. 🔊 *C/Àngel Vidal 36 • EP*

Organic
5 Un nouveau club gay, fréquenté par le monde de la mode. 🔊 *C/Bonaire 15 • EP*

Plages
6 Les gays se retrouvent sur la plage située devant l'hôtel Calipolis, au centre de Sitges, et sur la plage nudiste située sur la route de Vilanova.

Drague nocturne
7 Le front de mer juste après l'hôtel Calipolis est un des lieux les plus animés, à partir de 3 h.

El Miami
8 Des prix serrés et une ambiance chaleureuse font le succès de ce restaurant. 🔊 *C/Sant Pau 11*

Dive
9 Cette boutique propose un choix fabuleux de vêtements et d'accessoires. Attention aux prix ! 🔊 *C/Sant Francesc 33*

El Hotel Romàntic
10 Un hôtel sans prétention dans lequel les gays sont les bienvenus. Joli jardin. 🔊 *C/Sant Isidre 33 • 33 93 894 83 75 • www.hotelromantic.com*

Le Gayxample, au carrefour des C/Casanova et C/Diputació, est le quartier gay de Barcelone.

Gauche **Sacs à main, Avinguda Diagonal** Droite **Vitrine, Passeig de Gràcia**

ᵀᵒᴾ10 Où faire du shopping

1 Passeig de Gràcia
Cette grande avenue bordée de beaux immeubles modernistes accueille évidemment les plus belles boutiques de mode et de design. Enseignes internationales (Chanel, Hermès, Swatch) et grandes marques espagnoles (Loewe, Zara, Mango, *p. 139*), elles y sont toutes. Vinçon, la meilleure boutique de design de la ville, se trouve aussi ici. La Carrer Mallorca, la Carrer València, la Carrer Roselló et la Carrer Consell de Cent, bordée de galeries d'art, accueillent des boutiques tout aussi sublimes. ◈ *Plan E3*

2 Bulevard Rosa et Bulevard dels Antiquaris
Ouvert en 1978, le Bulevard Rosa fut la première galerie commerciale de la ville. Elle est toujours ultra-chic et compte plus de 100 boutiques de mode, chaussures et accessoires de créateurs espagnols et étrangers. À côté, le Bulevard dels Antiquaris est une vaste galerie qui abrite une soixantaine de boutiques d'art et d'antiquités. ◈ *Bulevard Rosa, Pg de Gràcia 53 • Plan E2 • Ouv. lun.-sam. 10h30-20h30* ◈ *Bulevard dels Antiquaris, Pg de Gràcia 55-57 • Plan E2 • Ouv. lun.-sam. 10h30-20h30*

3 Plaça de Catalunya et Carrer Pelai
La trépidante Plaça de Catalunya, au centre des activités de la ville, est un bon quartier où faire du shopping. Le grand magasin El Corte Inglés et la galerie commerciale El Triangle, qui abrite une Fnac et une parfumerie Sephora, s'y trouvent. À côté, la Carrer Pelai, bordée de boutiques de chaussures et de vêtements, est l'artère piétonnière la plus fréquentée du pays. ◈ *El Corte Inglés, Pl. de Catalunya 14 • Plan M1 • Ouv. lun.-sam. 10h-22h* ◈ *El Triangle, C/Pelai 39 • Plan L1 • Ouv. lun.-sam. 10h-21h30*

4 Portal de l'Àngel
Une foule de passants chargés de sacs se presse dans cette artère piétonnière qui, à l'époque romaine, menait à l'enceinte de la ville. Aujourd'hui, les magasins de chaussures, de vêtements, de bijoux et d'accessoires s'y succèdent. ◈ *Plan M2*

La foule des acheteurs, Portal de l'Àngel

5 Rambla de Catalunya

Ce prolongement plus calme, plus soigné et plus bourgeois de La Rambla s'étend de la Plaça de Catalunya à l'Avinguda Diagonal. Elle est bordée de cafés et de boutiques chic dans lesquelles on trouve des articles de luxe très divers. ✎ *Plan E2*

Vitrine, Carrer Portaferrisa

8 Gràcia

Libraries anciennes, *botigues de comestibles* (épiceries) et boutiques de vêtements et d'objets indiens se succèdent sur la Carrer Astúries et la Travessera de Gràcia. La Carrer Gran de Gràcia abrite des boutiques de mode plus modernes. ✎ *Plan F1*

6 Avinguda Diagonal

Cette grande avenue commerçante traverse toute la ville, en diagonale bien sûr. Toujours encombrée de voitures, elle est très bruyante. La plupart des magasins sont situés à l'ouest du Passeig de Gràcia. Dans cette partie s'alignent les boutiques de luxe : chausseurs, prêt-à-porter (Armani, Gucci, Versace), bijoutiers, horlogers, design, etc. Au niveau de la Plaça Maria Cristina, se trouvent la galerie commerciale L'Illa et un grand magasin El Corte Inglés. ✎ *Plan D1*

7 Carrer Portaferrissa

Chaussures à plate-forme, anneaux de nombril, mini tee-shirts, cette rue pourrait s'appeler la « Carrer Tendance ». El Mercadillo *(p. 75)* est une minuscule galerie commerciale pleine de boutiques branchées proposant ceintures cloutées, lunettes de soleil, vêtements de surf, etc. À proximité, les Galeries Maldà, un des premiers centres commerciaux ouverts à Barcelone, abritent des boutiques et un cinéma qui programme des classiques en VO *(p. 67)*. ✎ *Galeries Maldà, Pl. del Pi • Plan M3 • Ouv. lun.-sam. 10h-13h30 et 16h-20h*

9 El Born

Dans le quartier d'El Born sont installées de nombreuses galeries d'art et de design. Le Passeig del Born et la Carrer Rec abritent des galeries avant-gardistes de sculpture, de design, et des boutiques de vêtements et de chaussures. ✎ *Plan P4*

10 La Maquinista

Le petit dernier des centres commerciaux de la ville occupe une ancienne usine de locomotives dans le Barri de Sant Andreu. Plus de 200 boutiques, un cinéma multiplex, un bowling et des stands de restauration rapide sont regroupés sur un seul étage. ✎ *Pg de Potosí 2, 4 km à l'E. du centre • Hors Plan • Ouv. lun.-sam. 10h-22h*

➡ *Informations sur le shopping et les heures d'ouverture des magasins* **p. 139**

Fruits et légumes, Mercat de la Llibertat, Gràcia

Marchés

Mercat de la Boqueria

1 Le plus connu des marchés d'alimentation de Barcelone se trouve commodément le long de La Rambla *(p. 12-13)*. La fraîcheur et le choix règnent sur les centaines d'étals proposant toute sorte de produits : tomates en grappe, quartiers de bœuf, moelleuses portions de *manchego*. Admirez les étals des poissonniers : oui, vous êtes bien au bord de la mer ! ◉ *La Rambla 91 • Plan L3 • Lun.-sam. 7h-20h*

Els Encants

2 Vous trouverez ce que vous cherchez – et ce que vous ne cherchez pas – au meilleur marché aux puces de Barcelone, à l'est de la ville : fripes, meubles, jouets, appareils électriques, céramiques artisanales, livres d'occasion, etc. Le chineur averti pourra garnir sa cuisine de casseroles et d'ustensiles, mais les amateurs de bonnes affaires doivent venir tôt. ◉ *Pl. de les Glòries Catalanes • Plan H3 • Lun., mer., ven. et sam. 8h-14h*

Fira de Santa Llúcia

3 À l'approche de Noël, les artisans barcelonais ouvrent des stands sur la place de la cathédrale. Ce marché vaut le détour, ne serait-ce que pour voir les rangées de petits *caganers*, figurines accroupies pour *fer caca*. On cache ces petits personnages traditionnels catalans au fond de la crèche. Cette coutume scatologique se retrouve dans d'autres traditions de Noël. ◉ *Pl. de la Seu • Plan N3 • 1-24 déc. t.l.j. 10h-20h (horaires variables)*

Mercat de Sant Antoni, marché aux livres et aux pièces de monnaie

4 Pour les amoureux des livres, la meilleure façon d'occuper le dimanche matin est de flâner dans ce marché situé à l'ouest de la ville, où l'on trouve, pêle-mêle, livres de poche écornés, vieux volumes, piles de magazines anciens, BD, cartes postales, mais aussi des pièces

Fira de Santa Llúcia, Plaça de la Seu

de monnaie et des cassettes vidéo.
◈ C/Comte d'Urgell • Plan D2 • Dim. 8h-15h

5 Fira Artesana, Plaça del Pi

Pendant la Fira Artesana, les producteurs locaux installent leurs étals de produits fermiers

Fromages, Fira Artesana, Plaça del Pi

et bios sur la Plaça del Pi (p. 37), dans le Barri Gòtic. Les spécialités sont le fromage et les miels (du miel clair de trèfle pyrénéen au miel aux fruits secs de Morella). ◈ Pl. del Pi • Plan M3 • 1er et 3e ven., sam. et dim. du mois, 11h-14h et 17h-19h

6 Fira de Numismàtica

Ce marché aux timbres et aux pièces de monnaie, qui se tient Plaça Reial (p. 72), attire les passionnés de toute la ville. On y trouve aussi des cartes téléphoniques et des xapes de cava (capsules de bouchons de cava). À la fin du marché, quand la police part déjeuner, un vide-grenier improvisé prend le relais. Les anciens du quartier et les immigrés vendent, à même le sol, vieilles lampes, fripes, etc. ◈ Pl Reial • Plan L4 • Dim. 9h30-14h30

7 Mercat de la Concepció

Au cœur de l'Eixample, ce grand marché est réputé pour ses fleurs. L'odeur des bouquets et les nombreuses couleurs sont une invitation irrésistible.
◈ C/València au niveau de la C/Bruc • Plan F2 • Lun. et sam. 8h-14h30, mar.-ven. 8h-20h30

8 Mercat de la Llibertat

À Barcelone, chaque quartier possède son marché. Ici, vous croiserez les habitants de Gràcia partis à la recherche des fruits, légumes, viandes ou poissons les plus frais.
◈ Pl. Llibertat 27 • Plan E1 • Lun. 8h-15h, mar.-jeu. 8h-14h et 17h-20h, ven. 7h-20h, sam. 7h-15h • Fer. l'après-midi en août

9 Mercadillo de la Plaça de Sant Josep Oriol

Le week-end, les peintres barcelonais viennent sur cette place du Barri Gòtic vendre leurs œuvres. Le choix est vaste, des paysages catalans à l'aquarelle aux peintures d'églises et de châteaux. ◈ Pl. de Sant Josep Oriol • Plan M4 • Sam. 10h-15h et dim. 10h-14h

10 Mercat dels Antiquaris

Passionnés et collectionneurs cherchent leur bonheur parmi le bric-à-brac de bijoux, montres, bougeoirs, plateaux argentés et broderies anciennes de ce marché aux antiquités situé sur la place de la cathédrale. ◈ Pl. de la Seu • Plan N3 • Jeu. 10h-15h

➜ Autres quartiers où faire du shopping p. 50-51

Gauche **Vue depuis le Mirador de Colom** Droite **Vue depuis la Sagrada Familia**

10 **Vues sur la ville**

1 Tibidabo

C'est de cette colline qu'on a la plus belle vue sur Barcelone. Les amateurs de sensations fortes en profiteront pour faire un détour par le parc d'attractions *(p. 111)* et tester La Atalaya, une nacelle attachée à une sorte de grue de laquelle on voit la ville, la mer et les Pyrénées. Autre possibilité moins vertigineuse : la montée (288 m) dans l'ascenseur extérieur en verre de la Torre de Collserola *(p. 111)*. Ceux qui préfèrent la terre ferme – et prendre un verre – opteront pour le bar Mirablau *(p. 116)*.

2 Castell de Montjuïc

La colline de Montjuïc offre plusieurs points de vue. C'est des jardins du château que la perspective sur le port et la ville est la plus belle. Vous pouvez y monter par le téléphérique puis redescendre en profitant du panorama et vous arrêter pour un verre au Miramar *(p. 95)*. *p. 89*.

Vue depuis le Castell de Montjuïc

3 Les Golondrines et Orsom Catamaran

De la mer, la vue sur la ville donne moins le vertige, mais quel plaisir de glisser hors du port à bord des *golondrines* (bateaux-mouches) ou, pour plus d'aventure, sur un immense catamaran à voile ! Des deux on a une vue sur la ville et le nouveau port olympique. *p. 133*. ✆ *Les Golondrines, Portal de la Pau*
• *Plan L6* • *horaires au 93 442 31 06*
✆ *Orsom Catamaran, Moll d'Espanya*
• *Plan L6* • *Horaires au 93 225 82 60*

4 Téléphérique

Les télécabines qui se balancent doucement entre le port et Montjuïc font presque partie des monuments. On peut ainsi découvrir des aspects cachés de la ville, mais mieux vaut ne pas souffrir du vertige ! C'est aussi un moyen agréable de se rendre de la vieille ville au sommet du Montjuïc. *p. 133*. ✆ *Miramar, Montjuïc/Port de Barcelona*
• *Plan C5, D6 et E6* • *t.l.j. 10h30-20h*
• *EP*

5 Mirador de Colom

Au bout de La Rambla, la statue de Christophe Colomb offre un beau point de vue sur la ville. Cette colonne haute de 80 m a été élevée en 1888 *(p. 12)*. Un ascenseur mène au sommet. ✆ *La Rambla/Drassanes*
• *Plan L6* • *Ouv. juin-sep. t.l.j. 9h-20h30 , oct.-mai t.l.j. 10h-18h30/19h30 (fer. lun.-ven. 13h30-15h30)* • *EP*

6 Sagrada Família

Quand les travaux ont commencé, l'incroyable église conçue par Gaudí se trouvait à l'extérieur de la ville et Barcelone n'était alors qu'une tache lointaine. Cent ans plus tard, l'église se dresse au beau milieu du quartier de l'Eixample et, de ses tours, la vue sur l'église et sur la ville est extraordinaire. *p. 8-11.*

Vue sur Barcelone et la Casa-Museu Gaudí, Parc Güell

7 El Corte Inglés

Situées au dernier étage du magasin *(p. 139)*, la cafétéria aux grandes baies vitrées et la terrasse du restaurant sont deux lieux idéaux pour déjeuner ou prendre un café. De là, la vue plonge sur la Plaça de Catalunya, la vieille ville et l'Eixample. ◈ *Pl. de Catalunya 14 • Plan M1 • EG • AH*

8 Parc Güell

Au nord de la ville, les zones en terrasse de l'extraordinaire parc moderniste dessiné par Gaudí offrent des vues spectaculaires sur Barcelone et la Méditerranée. Et les arbres apportent une ombre bienvenue sous le soleil parfois ardent de l'été. *p. 112.*

9 La cathédrale

Au cœur du Barri Gòtic, le toit de la cathédrale permet de découvrir la partie de Barcelone qui a le moins changé. Regardez le désordre des vieux toits (certains datent du XIIᵉ s.) et des ruelles vétustes qui partent dans tous les sens. Offrez-vous la montée en ascenseur, cela ne vous coûtera pas cher. *p. 14-15.*

10 Tour en hélicoptère

Helipitas SL propose un survol de 30 minutes de Montjuïc, du port et de la partie sud de la ville. Deux passagers au minimum. Le trajet aller-retour à l'héliport, situé à l'extérieur de la ville, est compris dans le prix. ◈ *Transfert à partir de n'importe quelle adresse du centre • Renseignements au 902 19 40 73 ou www.barcelonahelicopters.com • EP • AH*

Gauche **Plage de la Barceloneta** Droite **Parc de Joan Miró**

🔟 Parcs et plages

1 Parc de la Ciutadella

Construit au XIXe s. sur l'emplacement d'une citadelle (XVIIIe s.), le plus grand parc paysager de Barcelone est un antidote à l'agitation de la ville. Le Parlement catalan, trois musées, un zoo, deux serres et un lac où l'on peut canoter s'y trouvent. Des concerts ont parfois lieu au café de l'Hivernacle, une des deux serres du parc. *p. 16-17.*

2 Parc Güell

Conçu pour être une ville-jardin au nord de la ville, ce parc en terrasses devait abriter des villas et des édifices publics mais, faute de moyens, le projet a été abandonné. Sentiers serpentant à flanc de colline, grottes, forêt de colonnes, l'architecture imaginative de Gaudí se fond parfaitement dans la végétation.

Fontaine, Parc de la Ciutadella

Au centre, une esplanade entourée d'un long banc ondulant décoré de mosaïques offre une vue spectaculaire *(p. 55)* sur Barcelone et les pavillons féeriques de l'entrée. L'ancienne résidence de Gaudí abrite aujourd'hui un musée, la Casa-Museu Gaudí. *p. 112.*

3 Jardins del Laberint d'Horta

Ces jardins néoclassiques datent de 1791 et sont parmi les plus anciens de la ville. Aménagés sur les hauteurs, l'air y est plus pur et plus frais. Ils abritent des petits jardins à thème, des cascades, un canal et un immense labyrinthe au centre duquel se dresse une statue d'Éros. *p. 113.*

4 Parc de Cervantes

Inauguré en 1964 pour célébrer les 25 ans de Franco au pouvoir, ce très beau parc à la périphérie de Barcelone abrite 245 variétés de roses et plus de 11 000 buissons qui embaument à la floraison. Ce « parc des roses » est très fréquenté le week-end, mais désert en semaine.
🔎 *Av. Diagonal • Hors plan*

5 Jardins de Pedralbes

Ces pittoresques jardins s'étendent devant l'ancien palais royal de Pedralbes *(p. 112)* qui abrite aujourd'hui le Museu de Ceràmica et le Museu de les Artes Decoratives. À l'ombre d'un immense eucalyptus et près d'un bosquet de bambous, vous

 Les parcs de la villes sont officiellement ouverts de 10 h au crépuscule.

pourrez voir une fontaine dessinée par Gaudí et redécouverte en 1983. ✎ *Av. Diagonal 686 • Hors plan*

6 Parc de Joan Miró

Ce parc occupe l'emplacement d'un abattoir (*excorxador* en catalan) du XIXe s. d'où son nom officiel : Parc de l'Escorxador. Aménagé sur deux niveaux, la partie supérieure est dominée par une remarquable statue de Miró, *Dona i Ocell (Femme et Oiseau*, 1983), haute de 22 m. En bas, trois aires de jeux entourent un café. ✎ *C/Tarragona • Plan B2*

7 Parc de l'Espanya Industrial

Situé sur le site d'une ancienne usine textile, ce parc moderne conçu par l'architecte basque Luis Peña Ganchegui a un peu vieilli depuis son ouverture en 1985, mais conserve un certain charme. Dix étranges tours-phares bordent le lac sur lequel on peut canoter, et une énorme sculpture-dragon sert de toboggan. Le bar-terrasse est agréable et dispose d'une aire de jeux pour les enfants. *p. 97.* ✎ *Pl. de Joan Peiró • Hors plan*

8 Plages

Longtemps insalubre, le quartier du bord de mer a été réaménagé pour les JO de 1992. Aujourd'hui on peut piquer une tête dans la Méditerranée à seulement quelques stations de métro du centre. Les plages de la Barceloneta et du Port Olímpic attirent les foules. Elles sont nettoyées et équipées

Parc de l'Espanya Industrial

de douches, de toilettes, d'aires de jeux et de filets de volley. On peut aussi y louer des bateaux et des planches de surf. Mais attention aux vols à l'arraché. *p. 97.*

9 Castelldefels

À 20 km au sud de Barcelone s'étirent 5 km de plages de sable où l'eau est peu profonde. Le week-end, les amoureux du soleil s'allongent puis vont s'attabler aux bars de la plage pour savourer poissons, fruits de mer et sangria. On peut louer des pédalos et des planches à voile. ✎ *Hors plan • Trains à partir de l'Estació de Sants ou du Passeig de Gràcia pour la Platja de Castelldefels*

10 Premià et El Masnou

Eaux cristallines et sable doré à 20 km au nord de la ville, donc facilement accessibles, ces deux plages sont sans aucun doute les plus belles des environs de Barcelone. ✎ *Hors plan • Trains à partir de l'Estació de Sants ou de la Plaça de Catalunya pour Premià ou El Masnou*

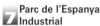

Vous pouvez vous promener en vélo dans les parcs. Informations sur les locations de vélo **p. 131** et **p. 133**

Gauche **La Rambla** Droite **Cycliste, Passeig Marítim**

À pied et à vélo

1 La Rambla et le port
De la Plaça de Catalunya, descendez en flânant La Rambla, l'artère la plus célèbre de la ville (p. 12-13), en profitant au passage des spectacles de rue. Une fois au port, prenez à gauche et admirez les yatchs en suivant le front de mer jusqu'à la Barceloneta. Prenez le Passeig Joan de Borbó puis, pour aller à la plage, n'importe quelle rue à gauche. ◈ Plan M1

2 Barri Gòtic
La meilleure façon de découvrir la vieille ville est de suivre ses ruelles. De La Rambla, prenez la Carrer Portaferrisa (p. 51) puis, à droite, la Carrer Petritxol (p. 74) bordée de bijoutiers et de pâtisseries. Arrivé à l'Església Santa Maria del Pi, prenez la Carrer Rauric et montez la Carrer Ferran, sur la gauche, jusqu'à la Plaça de Sant Jaume (p. 71). Tournez à gauche dans la Carrer Bisbe et continuez jusqu'à la Plaça de la Seu et la cathédrale (p. 14-15). ◈ Plan L3

3 Eixample
Pour admirez quelques chef-d'œuvres modernistes, suivez le Passeig de Gràcia du sud vers le nord : vous passerez devant les bâtiments de la Mansana de la Discòrdia (p. 103) et devant La Pedrera (p. 20-21). Revenez sur vos pas et tournez à gauche dans la Carrer Mallorca qui mène à la Sagrada Família (p. 8-11). La Carrer Marina, sur votre gauche, longe la façade de la Nativité. Remontez ensuite l'Avinguda Gaudí jusqu'à l'Hospital de la Santa Creu i de Sant Pau (p. 103). ◈ Plan M1

4 Tibidabo
Atteignez les hauteurs de la ville en montant la pente douce de l'Avinguda del Tibidabo depuis la station FGC du même nom. Suivez les panneaux sur votre droite à travers le parc boisé Font del Racó jusqu'à la Plaça Doctor Andreu. Choisissez une terrasse et admirez la vue panoramique. ◈ Plan B1

Parc de Collserola

 L'été, le CCCB (p. 28-29) propose des visites guidées à pied. Informations sur les visites à pied **p. 133**

5 Montjuïc

Promenez-vous sur la colline de Montjuïc et profitez de la verdure. Une série d'escalators au départ de la Plaça d'Espanya facilite la première montée jusqu'au grandiose

Ruelle, Barri Gòtic

Palau Nacional *(p. 18-19)*. De là, poursuivez votre chemin sur la gauche, puis faites une pause dans les Jardins Mossèn Jacint Verdaguer *(p. 94)* avant de continuer le long de l'Avinguda Miramar d'où la vue est spectaculaire. ◈ *Plan B3*

6 Parc de Collserola

Difficile de croire que cette paisible réserve naturelle n'est qu'à 10 min. de route de Barcelone. Pour explorer à pied ou à VTT ses merveilleux sentiers de randonnée, prenez le funiculaire jusqu'au sommet du Tibidabo puis suivez les chemins balisés qui, à travers la forêt, mènent à la Torre de Collserola *(p. 111)*. À l'entrée du parc, un centre d'information distribue des cartes. ◈ *Carretera de l'Església 92 • Plan B1*

7 Le bord de mer

Pédalez tranquillement le long de la côte sur la piste cyclable qui, du bas de La Rambla, longe le bord de mer jusqu'au Port Olímpic. Terminez votre promenade à la Platja de la Mar Bella. ◈ *Plan B3*

8 Avinguda Diagonal

L'avenue la plus chic de Barcelone est équipée sur toute sa longueur d'une piste cyclable bordée d'arbres. Partez de Pedralbes (au niveau de la station de métro Zona Universitària) et traversez toute la ville jusqu'au nouveau quartier de Diagonal

Mar, et terminez au niveau de la station de métro Besòs. ◈ *Plan A1*

9 Les Planes

Au départ de la Plaça de Catalunya (direction Sant Cugat), 15 min. de ferrocaril suffisent pour se rendre à Baixador de Valvidrera, un endroit idéal pour se promener en dehors de la ville. Un sentier s'enfonce dans les bois et débouche sur une belle vallée. L'été, on y installe des barbecues où chacun grille son steak. ◈ *4 km au N de Barcelone*

10 Costa Brava

Un superbe sentier part de l'extrémité de la Platja de San Pol, à Sant Feliu de Guíxols, vers le nord. Longez la côte à l'ombre des tamariniers en profitant de la vue sur les criques rocheuses et la mer. Arrivé à la pointe, descendez les marches jusqu'à la fabuleuse plage de Sa Conca, élue 6e plus belle plage d'Espagne. ◈ *75 km au NE de Barcelone*

Escènic, à la Vila Olímpica (tél. 93 221 166), loue des vélos. Informations sur les locations de vélo **p. 131** et **p. 133**

Gauche **Piscine en plein air Bernat Picornell** Droite **Bain de soleil, Platja de la Barceloneta**

⁜10 Que faire à Barcelone

1 Bains de soleil et de mer
Échappez à la canicule et plongez dans les eaux bleues de la Méditerranée. Barcelone possède de superbes plages *(p. 57)*, de celles de la Barceloneta, bordées de bars et de restaurants, à celles du Port Olímpic, de Bogatell et de Mar Bella, toutes gagnées sur la mer. ◊ *Plan F6-H6*

2 Sports nautiques
Rejoignez la jet-set au Port Olímpic où vous pourrez pratiquer divers sports nautiques, faire de la planche à voile ou du canot pneumatique. L'Escola Municipal de Vela loue des bateaux et propose des cours aux débutants. Escènic organise, de nuit, un tour des plages en kayak. ◊ *Escola Municipal de Vela • Moll de Gregal • Plan G6 • 93 225 79 40 • Ouv. t.l.j. 9h30-20h* ◊ *Escènic • C/Marina 22 • Plan G5 • 93 221 16 66*

3 Natation
Il est surprenant que la superbe piscine en plein air Bernat Picornell, au beau milieu de la verdure du Montjuïc, ne soit pas prise d'assaut l'été : les habitants de Barcelone semblent préférer les plages. Rénovée pour les JO, on peut s'y reposer sur des chaises longues, manger une glace ou, plus sportif, minuter son 50 m à l'aide du chronomètre

géant. L'été, des projections de cinéma en plein air y ont lieu. ◊ *Av. del Estadi • Plan A4 • Ouv. t.l.j. 7h-23h • EP • AH*

4 Golf
La Costa Brava devient une des destinations les plus prisées en Espagne pour faire du golf. Ceux qui souhaitent pratiquer en ville opteront pour les *pitch & putt* de Badalona et de Castelldefels. ◊ *Castell de Godmar, Badalona, 5 km au NE de Barcelone • 93 395 27 79 • Ouv. t.l.j. 8h30-crépuscule* ◊ *Canal Olímpic, Castelldefels, 20 km au SO de Barcelone • 93 636 28 96 • Ouv. t.l.j. 10h-crépuscule*

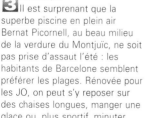

Beach volley, Platja de Nova Icària

5 Beach volley
Toute l'année, les samedi et dimanche matin, des parties de volley ont lieu sur la Platja de la Nova Icària. Si vous arrivez seul, on vous intégrera sans problème à une partie. ◊ *Plan H5*

6 Musculation
Le centre sportif du Parc de l'Espanya Industrial *(p. 57)* est doté d'un sauna, d'un hammam, d'un jacuzzi, de courts de badminton et d'une piscine. Il est possible d'acheter un forfait à la journée. ◊ *C/Muntades • Hors plan • 93 426 79 73 • Ouv. lun.-ven. 7h-23h, sam. 7h-21h, dim. 7h-14h*

7 Rollers

Louez une paire de rollers chez Escènic et découvrez Barcelone en roulant. Escènic loue aussi des vélos et des scooters. ⊙ *Escènic • C/Marina 22 • Plan G5* • *93 221 16 66*

8 Billard

Des tables de billard se trouvent à l'étage du Cafè Salambò (p. 115) dans le quartier de Gràcia. Vous pourrez aussi y prendre un verre ou manger (la cuisine est délicieuse) en compagnie d'une clientèle plutôt intello et branchée, le tout dans une ambiance sympathique.

9 Sardanes

Partout dans la ville et lors de la plupart des fêtes locales (p. 65), on danse la sardane. Cette danse traditionnelle peut inclure jusqu'à 200 personnes, alors pourquoi pas vous ? Pour tout savoir, contactez l'office de tourisme (p. 134).

10 Frontó

Il suffit d'une raquette de tennis et d'une balle à renvoyer contre un mur pour apprécier ce passe-temps populaire. On trouve de nombreux *frontó* gratuits dans les parcs, dont un excellent à côté de la Casa del Mig dans le parc de l'Espanya Industrial (p. 57).

En rollers sur le Moll de la Barceloneta

Événements sportifs

1 FC Barcelona (football)

Les billets pour voir cette équipe star sont difficiles à obtenir. Une semaine avant le match, 4 000 sont mis en vente. ⊙ *Sept.-juin • 93 496 36 00*

2 RCD Espanyol

Il est plus facile de trouver des billets pour voir cette équipe de première division qui joue à l'Estadi Olímpic (p. 90). ⊙ *Sept.-juin • 93 424 88 00*

3 FC Barcelona (basket-ball)

Le basket vient juste après le football dans le cœur des Barcelonais. L'équipe de la ville joue au Palau Blaugrana. ⊙ *Oct.-avr. • 93 496 36 00*

4 FC Barcelona (hockey)

Le hockey sur patins à roulettes est un sport populaire à Barcelone. ⊙ *Oct.-avr.* • *93 496 36 00*

5 Torneo Conde de Godo

Un tournoi de tennis de haut niveau. ⊙ *Dern. quinzaine d'avr. • 93 203 78 52*

6 Cursa del Corte Inglés

Une course à pied de 12 km. ⊙ *Mai ou juin* • *93 306 38 00*

7 La Volta Ciclista de Catalunya

Cette course-test prépare les cyclistes pour les épreuves européennes les plus exigeantes. ⊙ *Dern.quinzaine de juin • 93 30 12 44 44*

8 Montmeló

Ce circuit accueille régulièrement de grandes courses automobiles, y compris de Formule 1. ⊙ *Avr.-mai • 93 57 19 71*

9 Barcelona Dragons

L'équipe de football américain barcelonaise joue dans l'Euroligue. ⊙ *Avr.-juin* • *93 289 24 00*

10 Catalunya Rally

Un rallye de haut niveau dans un cadre magnifique. ⊙ *Fin mars • 972 36 07 58*

 Barcelone et ses environs à pied et à vélo **p. 58-59**

Gauche **Plage du Port Olímpic** Droite **Pingouins, Parc Zoològic**

🔟 Avec des enfants

1 Parc d'Attraccions del Tibidabo

La seule fête foraine de Barcelone est un plaisir pour les enfants de tout âge. Parmi les attractions : une maison hantée, des autos tamponneuses, une grande roue, le Museú dels Autómates *(p. 41)* et un bon spectacle de marionnettes. On y trouve aussi des aires de pique-nique et de jeux, et quantité de bars et restaurants. *p. 111.*

2 Parc Zoològic

La star du zoo est un gorille albinos. Le spectacle de dauphins plaît aussi beaucoup aux enfants. Ils pourront également se déchaîner dans l'immense parc d'aventures. La « ferme » permet aux plus petits de caresser chèvres et lapins. *p. 16.*

3 Museu Marítim

Situé dans les anciens chantiers navals, les Drassanes Reials, ce fantastique musée fait revivre les hurlements des pirates, les bordées de canon, mais aussi les petits bruits à l'intérieur des sous-marins. La reconstitution grandeur nature d'une galère espagnole du XVIᵉ s., avec des effets son et lumière, émerveillera les marins en herbe. *p. 81.*

4 L'Aquàrium

C'est un des plus grands aquariums d'Europe : ce royaume sous-marin réunit près de 400 espèces dans 21 immenses bassins. L'Oceanari est un tunnel transparent à l'intérieur duquel vous pourrez regarder droit dans les yeux Drake, Morgan et Maverick, d'énormes requins gris nageant dans 4,5 millions de litres d'eau. *p. 97.*

5 Jardins del Laberint d'Horta

L'attrait majeur de ce parc est son immense labyrinthe végétal

Au Parc Zoològic

à l'intérieur duquel les enfants peuvent revivre les aventures d'Alice au pays des merveilles. Le manque de Chapelier fou est compensé par la très grande aire de jeux équipée d'un bar avec terrasse. Attention, ce parc est très fréquenté le dimanche. *p. 113.*

6 Téléphérique de Montjuïc

Si vous visitez Barcelone avec des enfants, préférez ce petit téléphérique à celui, vertigineux, qui part du port *(p. 54)*. Autre avantage : vous arrivez au Castell de Montjuïc *(p. 89)* dans les jardins duquel les enfants pourront grimper sur les canons. ◈ *Parc de Montjuïc • Plan C5 • Ouv. avr.-nov. t.l.j. 11h15-21h15 ; déc.-mars sam.-dim. 11h15-21h15 • EP*

7 La Rambla

Dur pour les épaules de porter un enfant au-dessus de la foule tout le long de la principale artère de Barcelone ! Mais les cracheurs de feu, les musiciens ambulants et les statues vivantes de déesses grecques amuseront sans aucun doute vos enfants. En échange d'une pièce dans le chapeau, la statue remerciera d'un geste ou, pour les enfants, d'une sucette. *p. 12-13.*

8 Plages

Sur les plages *(platges)* de Barcelone, les petits pourront patauger dans l'eau, se rouler dans le

Statue vivante, La Rambla

sable et s'amuser sur les aires de jeux ; celles de Port Vell et du Port Olímpic sont particulièrement bien équipées. Si vous avez faim ou soif, sachez que les plages sont bordées de nombreux bars et restaurants. *p. 97.*

9 Bateaux

Les plus grands monteront à bord des *golondrines* *(p. 133)* qui partent régulièrement du port pour une excursion en mer. Les plus jeunes préfèreront probablement canoter sur le lac du Parc de la Ciutadella *(p. 16-17)*.

10 Museu d'Història de Catalunya

Nul besoin d'être espagnol ou même catalan pour être captivé par ce musée qui retrace l'histoire de la Catalogne. Les expositions très ludiques et interactives plairont aux enfants. Ils pourront, par exemple, se déguiser en chevalier et se lancer au galop sur un cheval de bois. Tous les dimanches à 12h30, un conteur raconte des légendes catalanes. *p. 97.*

Les parcs et les plages p. 56-57

Festes de la Mercè

Fêtes et traditions catalanes

1 Festes de la Mercè
Pendant toute une semaine, Barcelone fête à grand bruit la Vierge de la Mercè *(p. 39)*, sainte patronne de la ville. Des feux d'artifice, des concerts en plein air, des défilés de *gegants* (des géants de bois) et de dragons ont lieu. À la fin de la semaine, il n'y a plus une seule bouteille de *cava* pleine dans toute la ville ! ◐ *Semaine du 23 sept.*

Gegants, Festes de la Mercè

2 El Dia de Sant Jordi
Ce jour-là, Barcelone se transforme en un gigantesque marché aux livres et aux fleurs : pour fêter saint Georges *(p. 39)*, les hommes offrent une rose aux femmes qui leur donnent en retour un livre. Ainsi, on commémore Shakespeare et Cervantès, tous deux morts le 23 avril 1616. ◐ *23 avr.*

3 Verbena de Sant Joan
La veille de la Saint-Jean, les Catalans fêtent avec enthousiasme le solstice d'été. Des feux d'artifice sont tirés, et des feux de joies allumés sur les plages et les places de toute la région. ◐ *23 juin*

4 Festa Major de Gràcia
La plus longue fête de l'été a lieu une semaine durant dans Gràcia dont les rues sont décorées pour l'occasion. Parades, concerts en plein air, feux d'artifice et flots de bière et de *cava* alimentent ces contagieuses festivités. ◐ *Der. quinzaine d'août*

5 Carnaval de Sitges
À Sitges *(p. 121)*, on célèbre le carnaval avec faste et exubérance. Chars fabuleux, parades de travestis et concours de karaoké font abandonner les plages à une foule réchauffée par le soleil et la bière. ◐ *3-4 jours, fév.-mi-mars*

6 Festa de la Patum
Une des fêtes les plus animées de la région a lieu dans le village de Berga, à 90 km au nord de Barcelone. Son nom vient d'un ancien chant, la *patum*, semblable au son d'un tambour. Des groupes envahissent les rues sous les feux d'artifice tandis que nains, démons et dragons paradent sur des chars. ◐ *Corpus Cristi (mai-juin)*

7 Festa del Aquilarre
Cette fête a lieu à Cervera, à 100 km à l'ouest de Barcelone. Concerts, parades, animations : tout se passe autour de la Carrer de les Bruixes, une ruelle médiévale qui traverse la vieille ville. ◐ *Der. week-end d'août*

  Les sites www.spainalive.com et www.barcelona.com ont des pages (en castillan, catalan et anglais) consacrées aux fêtes espagnoles.

Castells
8 Les *castells* (tour humaine) sont une des traditions les plus spectaculaires de Catalogne : les *castellers* montent sur les épaules les uns des autres jusqu'à former la plus haute tour possible. Une fois achevée, un enfant grimpe au sommet et effectue le signe de croix. Des *castells* se forment souvent Plaça Sant Jaume. ⊗ *Juin*

Sardanes
9 « Un magnifique cercle mouvant », c'est ainsi que le poète Joan Maragall décrivait cette danse traditionnelle catalane. Rythmée par la *cobla*, un orchestre traditionnel de cuivres et de vents, cette danse est plus complexe qu'elle ne le paraît. Toute l'année, on danse la sardane Plaça de la Seu *(p. 14)*.

Noël et la Cavalcada del Reis
10 Les fêtes de *Nadal* (Noël) commencent dès le 1er décembre avec des foires artisanales où l'on vend décorations et santons. Le 5 janvier a lieu la Cavalcada del Reis : les Rois mages arrivent par bateau et sont accueillis par la municipalité de Barcelone sous les yeux des enfants ravis.

Castells

Festivals de musique, de théâtre et d'art

Festival del Grec
1 Le plus important festival de musique, de théâtre et de danse de la ville. ⊗ *Fin juin-juil.* • 93 316 11 11

Sónar
2 La grande fête des musiques électroniques et du multimédia. ⊗ *Mi-juin* • 93 320 81 63

Festival Internacional de Jazz
3 De grands jazzmen et du jazz expérimental. ⊗ *Oct.-déc.* • 93 81 70 40

Festival International de théâtre de Sitges
4 Des pièces d'auteurs catalans et étrangers dans tous les théâtres de la ville. ⊗ *Début juin* • 93 894 45 61

Festival de Música Antiga
5 Des concerts en plein air de musique ancienne dans le Barri Gòtic. ⊗ *Avr.-mai* • 902 22 30 40

Clàssica als Parcs
6 Concerts de musique classique dans les parcs de la ville. ⊗ *Juil.* • 93 428 39 34

Festival de Guitarra
7 Festival international de guitare. ⊗ *Mars-mai* • 93 481 70 40

Festival de Músiques del Món
8 Spectacles musicaux en provenance du monde entier. ⊗ *Oct.* • 902 22 30 40

Portes Ouvertes
9 Ateliers ouverts des artistes de Poble Nou et de la vieille ville. ⊗ *Fin mai-juin* • 93 301 77 75

Festival de Música
10 Des groupes du monde entier se produisent dans le village de Llívia, à la frontière française. ⊗ *Llívia* • Août et déc. • 972 89 63 13

➲ *La Caixa de Catalunya vend des billets pour le Festival del Grec et le Festival International de Jazz, informations au 902 10 12 12.*

Gauche **Teatre Grec** Droite **Gran Teatre del Liceu**

Salles de concert et de spectacle

1 Gran Teatre del Liceu
Depuis son inauguration en 1847, le Liceu a été deux fois dévasté par les flammes. Cette célèbre scène européenne est aujourd'hui entièrement restaurée. Sa programmation est connue pour les récitals des enfants du pays devenus des stars, comme Montserrat Caballé ou José Carreras, un des « trois ténors ».
La Rambla • Plan L4 • 93 485 99 13 • Vi. gui. t.l.j. 9h30 et 10h30 • AH

2 Palau Sant Jordi
Ce stade, qui fait partie des installations olympiques, accueille l'équipe de basket barcelonaise *(p. 61)*. Il se transforme en une immense salle de concerts (la plus grande de la ville) lorsque des stars comme Madonna ou U2 font escale à Barcelone. *p. 90.*
Billetterie 93 481 11 92 • Ouv. pour les visites sam.-dim. 10h-18h • EG • AH

3 Teatre Grec
Au milieu des arbres, cet amphithéâtre est un lieu magique pour assister à un spectacle.

Malheureusement, seuls les spectacles programmés dans le cadre du Festival del Grec s'y déroulent. Les visiteurs peuvent toutefois entrer dans le théâtre et ses jardins toute l'année. *p. 90.*
Billetterie 93 301 77 75 • Ouv. pour les visites t.l.j. 10h-crépuscule • EG

4 Palau de la Música Catalana
Même si l'Auditori lui a volé un peu de son prestige, ce chef-d'œuvre du Modernisme conçu par Domenèch i Montaner accueille toujours d'excellents concerts de musique classique et du monde, de jazz ainsi qu'un festival de guitare. *p. 26-27.*

5 Auditori de Barcelona
Cette salle flambant neuve, située à côté du Teatre Nacional, est la résidence permanente de l'Orchestra Simfònica de Barcelona. La vue et l'acoustique y sont excellentes. Des concerts de musique classique et de jazz y sont programmés. *Pl. de les Arts • Plan G3 • 93 317 10 96 • AH*

Concert, Palau de la Música Catalana

6 Harlem Jazz Club
Un des plus anciens clubs de jazz de la ville. Les groupes de jazz alternatif et de blues qu'il accueille touchent un public confidentiel. L'entrée est gratuite si l'on consomme. *p. 77.*
93 310 07 55

Pour ceux qui comprennent le catalan, le Teatre Nacional de Catalunya (tél. 93 306 57 00) est un beau lieu pour voir une pièce.

7 Mercat de les Flors

Un lieu idéal pour des troupes comme La Fura dels Baus ou Comediants dont les spectacles marient le théâtre et le cirque : extraordinaire et facile à suivre même pour ceux qui ne comprennent pas le catalan. ✆ C/Lleida • Plan B4 • 93 318 85 90

8 Club Apolo

Ce vieux dancing tout de velours rouge et de lambris est aujourd'hui un des night-clubs les plus fréquentés de Barcelone. Les meilleurs DJs et groupes de techno et de dance du monde s'y produisent. ✆ C/Nou de la Rambla 113 • Plan K4 • 93 441 401

Harlem Jazz Club

9 La Paloma

Autre dancing reconverti, avec un décor bien plus travaillé, La Paloma rivalise avec le Club Apolo pour capter les étoiles montantes de la dance et de la pop. On y donne toujours des thés dansants, uniquement avec danse de salon : two-step, valse, salsa, rumba et beaucoup de cha-cha-cha. ✆ C/Tigre 27 • Plan J1 • 93 301 68 97

10 La Boîte

Semblable en apparence au Jamboree (p. 77), qui appartient au même propriétaire, ce club situé hors du centre propose tous les soirs du Rn'B en live. Après, le lieu se transforme en discothèque. ✆ Av. Diagonal 477 • Plan D1 • 93 419 59 50

Cinéma en version originale

1 Verdi

Un des premiers cinémas en VO. Cinq salles. ✆ C/Verdi 32 • Plan B2 • 93 238 79 90

2 Icària Yelmo Cineplex

Ce géant de 15 salles ne passe que des films en VO. ✆ C/Salvador Espriu 61 • Plan H5 • 93 221 75 85

3 Casablanca

Un vieux cinéma de deux salles qui a gardé tout son charme. ✆ Pg de Gràcia 115 • Plan E2 • 93 218 43 45

4 Maldà

Un cinéma culte où deux films sont programmés à chaque séance. On peut donc voir deux films pour le prix d'un. ✆ C/del Pi 5 • Plan M3 • 93 317 85 29

5 Méliès Cinemes

Deux salles où sont projetés des classiques. ✆ C/Villarroel 102 • Plan J1 • 93 451 00 51

6 Renoir-Les Corts

Un multiplexe proposant des films en espagnol et en anglais. ✆ C/Eugeni d'Ors 12 • Plan A2 • 93 490 55 10

7 Verdi Park

Le vieux cinéma Verdi compte aujourd'hui quatre salles. ✆ C/Torrijos 49 • Plan F1 • 93 238 79 90

8 Alexis

Une petite salle dans le quartier de l'Eixample. ✆ Rambla de Catalunya 90 • Plan E2 • 93 215 05 03

9 Rex

Une salle unique immense et confortable projetant des films récents en anglais. ✆ Gran Via de les Corts Catalanes 463 • Plan C3 • 93 423 10 60

10 Filmoteca

Le cinéma d'art et d'essai géré par le gouvernement catalan projette trois films en VO par jour. ✆ Av. Sarrià 31–33 • Plan D1 • 93 410 75 90

Les nombreux cinémas *versió original* de Barcelone offrent un grand choix pour ceux qui sont cinéphiles mais ne parlent pas catalan.

VISITER
BARCELONE

BARCELONE TOP 10

Gauche **Museu d'Història de la Ciutat** Droite **Saló de Cent, Ajuntament**

Barri Gòtic et La Ribera

Barcino, la Barcelone romaine, était protégée par une enceinte en pierre. Au fil des siècles, la cité s'agrandit. Les XIVe et XVe s. sont une période de prospérité et d'expansion pour la ville. Le Barri Gòtic, remarquablement bien conservé, date de cette époque. La meilleure façon de découvrir ce fascinant et dense quartier médiéval est de se perdre au hasard de ses ruelles bordées d'édifices gothiques et de ses petites places. Au centre du Barri Gòtic se dresse la superbe cathédrale du XIIIe s. – cœur de la vie spirituelle et sociale du quartier –, entourée de beaux bâtiments construits au Moyen Âge. Non loin, la Plaça del Rei (p. 36) présente un bel ensemble monumental également construit au Moyen Âge et en excellent état de conservation. À l'est du Barri Gòtic s'étend le vieux quartier de La Ribera, qui englobe celui d'El Born (p. 72). Dans la Carrer Montcada, au cœur de la Ribera, s'élèvent des palais médiévaux dont plusieurs accueillent le magnifique Museu Picasso.

Arc roman, Carrer Paradis

Les sites

1. La cathédrale
2. Museu Picasso
3. Palau de la Música Catalana
4. Plaça de Sant Jaume
5. Palau Reial et Museu d'Història de la Ciutat
6. Plaça Reial
7. Museu Frederic Marès
8. Església de Santa Maria del Mar
9. Museu Tèxtil i d'Indumentària
10. Museu Barbier-Mueller d'Art Precolombi

Visites dans le quartier de La Rambla p. 12-13

1 La cathédrale

La construction de la cathédrale débuta en 1298. Sa haute silhouette domine le Barri Gòtic. *p. 14-15.*

2 Museu Picasso

Découvrez les œuvres de jeunesse d'un des plus célèbres artistes du XXe s. *p. 24-25.*

3 Palau de la Música Catalana

Cette prestigieuse salle de concerts est un monument à la gloire de la musique catalane et du Modernisme ! *p. 26-27.*

4 Plaça de Sant Jaume

Cette place *(p. 36)* était autrefois au cœur de l'enceinte romaine de Barcelone. Centre historique, elle est aussi le centre politique de la ville : elle abrite en effet le Palau de la Generalitat, siège du gouvernement catalan, ainsi que l'Ajuntament, l'hôtel de ville. Sur la façade du Palau de la Generalitat (XVe s.), un relief sculpté représente sant Jordi, le saint patron de la Catalogne. L'intérieur abrite la belle Capella de sant Jordi du XVe s. *(p. 39)*, œuvre de l'architecte Marc Safont. L'Ajuntament est un palais gothique dans lequel on peut visiter le superbe Saló de

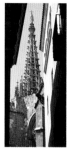

La cathédrale

Cent. C'est ici que se réunissait le Conseil des Cent, qui gouverna la ville de 1372 à 1714. Ne manquez pas le Pati dels Tarongers, un joli patio planté d'orangers. ◊ *Palau de la Generalitat • Pl. de Sant Jaume • Plan M4 • Vi. gui. 2e et 4e dim. du mois 10h-13h30 • EG* ◊ *Ajuntament • Pl. de Sant Jaume • Plan M4 • Vi. gui. sam.-dim. 10h-14h • EG*

5 Palau Reial et Museu d'Història de la Ciutat

Au cœur du Barri Gòtic, le majestueux Palau Reial (palais royal) des XIIIe et XIVe s. domine la Plaça del Rei *(p. 36)*, très bien conservée. Il renferme le Saló del Tinell, une immense salle couronnée d'arcs gothiques où Ferdinand d'Aragon et Isabelle de Castille, les rois catholiques, auraient reçu Christophe Colomb à son retour des Amériques en 1493. Dans la Capella de Santa Àgata *(p. 38)*, une chapelle médiévale, se trouve un splendide retable du XVe s. de Jaume Huguet. Une visite du Museu d'Història de la Ciutat permet de découvrir les vestiges romains de Barcelone. Billet d'accès commun au palais et au musée. ◊ *Pl. del Rei • Plan M4 • Ouv. mar.-sam. 10h-20h (fer. oct.-mai 14h-16h) et dim. 10h-14h • EP*

Gauche **Façade du Palau de la Generalitat** Droite **Une colonne du Palau de la Música Catalana**

→ *Autres places dans le Barri Gòtic* **p. 36-37**

El Born

Si vous rêvez d'un bon Martini sur fond de jazz alternatif, ne cherchez pas, allez directement dans El Born. Ce vieux quartier est devenu à la mode il y a quelques années quand artistes et étudiants, attirés par les entrepôts désaffectés et des loyers modestes, s'y sont installés. L'ambiance désormais intello et branchée épouse à merveille l'atmosphère ancienne du lieu : dans les rues étroites, le linge pend des fenêtres au-dessus des boutiques de design.

Bordé de bars et de cafés, le Passeig del Born débouche sur la Plaça Comercial, très animée. L'immense halle métallique qui s'y trouve a abrité le marché del Born de 1870 à 1970 ; elle devrait être reconvertie en bibliothèque.

6 Plaça Reial

Sous les arcades de la Plaça Reial, une des places les plus vivantes de Barcelone, l'élégance fin XIXᵉ s. se mêle à l'ambiance populaire des cafés et des bars. Plantée de palmiers, elle est bordée d'imposants bâtiments du XIXᵉ s. Les réverbères modernistes (1879) sont dus au jeune Gaudí. Au centre de la place, la fontaine représente les Trois Grâces. Ses restaurants, bars et cafés sont l'endroit idéal pour débuter la soirée avec un verre de sangria. Mais... attention aux pickpockets.
🅂 Plan L4

7 Museu Frederic Marès

Cet incroyable musée est constitué du trésor amassé par le sculpteur catalan Frederic Marès. Collectionneur fortuné,

Plaça Reial

original et passionné, il a réuni tout au long de sa vie un ensemble exceptionnel d'œuvres et d'objets. Le musée abrite notamment une remarquable collection de statues religieuses, de l'époque romaine à nos jours. La partie appelée Museu Sentimental présente toutes sortes d'objets allant des montres anciennes aux éventails, en passant par les poupées,... Dans le patio, la terrasse ensoleillée du Cafè d'Estiu *(p. 78)* vous séduira elle aussi.
🅂 *Pl. de Sant lu 5–6* ● *Plan N3* ● *Ouv. mar.-jeu. 10h-17h, mer., ven. et sam. 10h-19h, dim. 10h-15h* ● *EP*

8 Església de Santa Maria del Mar

Cette église du XIVᵉ s., œuvre de l'architecte Berenguer de Montagut, est un exemple parfait de l'austère style gothique catalan typique de Barcelone. Elle est dédiée à sainte Marie de la Mer, patronne des marins. Notez la vieille maquette de bateau suspendue près d'une statue de la Vierge. C'est l'église préférée des Barcelonais pour les mariages, ce qui lui a valu le surnom « d'église du peuple »
🅂 *Pl. del Born 1* ● *Plan P5*
● *Ouv. t.l.j. 9h-13h30 et 16h30-20h*

Arc médiéval, Museu Frederic Marès

9 Museu Tèxtil i d'Indumentària

Occupant deux palais médiévaux contigus, ce musée retrace l'histoire du textile et du vêtement à travers des étoffes égyptiennes, des tapisseries baroques ou encore des modèles de haute couture. Les expositions temporaires, surprenantes, explorent la mode d'hier et d'aujourd'hui. La petite boutique du musée vend des vêtements et des accessoires. Dans la cour, le Tèxtil Cafè dispose d'une terrasse ombragée. ⊗ *C/Montcada 12-14* • *Plan P4* • *Ouv. mar.-sam. 10h-18h et dim. 10h-15h* • *EP*

10 Museu Barbier-Mueller d'Art Precolombí

Situé dans le Palau Nadal (XVIe s.), ce musée invite à la découverte de 3 000 ans d'histoire des cultures précolombiennes à travers des sculptures, des céramiques et des objets d'orfèvrerie aztèques, mayas et incas. Des expositions temporaires soulignent la richesse de ces cultures. ⊗ *C/Montcada 12-14* • *Plan P4* • *Ouv. mar.-sam. 10h-18h et dim. 10h-15h* • *EP*

Intérieur de l'Església de Santa Maria del Mar

➡ *Autres musées p. 40-41*

La Barcelone romaine

Le matin

🕐 Depuis la station de métro Jaume Ier, pénétrez dans l'enceinte romaine de Barcino par la C/Llibreria, autrefois la grande route de Rome. Remontez la C/Veguer jusqu'à la **Plaça del Rei** *(p. 36)* puis descendez dans le fascinant maillage souterrain des murs et des canaux romains *via* le **Museu d'Història de la Ciutat** *(p. 71)*. Vous y découvrirez les vestiges d'un atelier du IIe s. et d'une taverne romaine. De retour en surface, faites une pause à la terrasse du **Cafè-Bar L'Antiquari** *(p. 78)*. Flânez en direction des flèches de la cathédrale le long de la C/de la Pietat, prenez à droite l'ancienne voie romaine C/Bisbe, puis à nouveau à droite dans l'Av. de la Catedral. Visitez la **Pia Almoina** *(p. 15)*, dans laquelle des vestiges des murs et de l'aqueduc romains sont visibles. Retournez vers la Plaça Nova, regardez les deux tours de l'ancienne porte romaine, puis poursuivez votre promenade le long de la C/Arcs.

L'après-midi

🍽 Déjeunez au **Reial Cercle Artístic** (C/ Arcs 5) un club d'artistes de la fin du XIXe s. Ne tenez pas compte du panneau « réservé aux membres » : le restaurant est ouvert à tous, et sa paisible terrasse en surplomb offre un répit bienvenu, au-dessus de la foule. Après le repas, remontez l'Av. del Portal de l'Àngel, et prenez la C/Canuda, à gauche, jusqu'à la **Plaça de la Vila de Madrid** *(p. 37)* où vous pourrez voir les vestiges d'une nécropole romaine.

Gauche **Carrer del Bisbe** Centre **Església de Sant Just i Sant Pastor** Droite **Plaça de Sant Felip Neri**

🔟 Autres visites

1 Carrer del Bisbe
Un pont en pierre de style néogothique (1928) emjambe cette rue médiévale et relie les Cases dels Canonges (maisons des Chanoines), bâtiments gothiques, au Palau de la Generalitat *(p. 71)*. ✪ *Plan M3*

2 Carrer de Santa Llúcia
Le week-end, des amateurs chantent des airs d'opéra dans cette rue médiévale. Ne manquez pas la Casa de l'Ardiaca et son ravissant patio *(p. 15)*. ✪ *Plan M3*

3 El Call
Avant d'être expulsée au XVᵉ s., une communauté juive importante habitait El Call. Les rues de l'ancien ghetto sont si étroites qu'on prétend qu'il est possible d'attacher son mouchoir d'une façade à l'autre. ✪ *Plan M4*

4 Carrer Montcada
Cette rue du quartier de La Ribera est bordée de merveilleux palais. Le Palau Aquilar du XVᵉ s. est occupé par le Museu Picasso *(p. 24-25)*. Le Palau Dalmases, du XVIIᵉ s., possède une chapelle gothique. ✪ *Plan P4*

5 Plaça de Ramon Berenguer el Gran
Les vestiges les mieux conservés de l'enceinte romaine de Barcelone sont visibles sur cette place. ✪ *Plan N3*

6 Carrer Regomir et Carrer del Correu Vell
En longeant la Carrer Regomir, vous verrez de superbes vestiges romains, notamment dans le Pati Llimona. Perpendiculaire, la Carrer del Correu Vell mène à la Plaça dels Traginers. Sur votre chemin, remarquez les tours et les murs romains en ruine. ✪ *Plan M5*

7 Plaça de Sant Felip Neri
Cette paisible place abrite le Museu del Calçat *(p. 41)*. De hauts arbres filtrent les rayons du soleil et dissimulent le musée. ✪ *Plan M3*

8 Carrer Petritxol
Granges et *xocolateries* (salon de thé) typiques bordent cette belle rue médiévale. C'est aussi l'adresse de la célèbre galerie d'art Sala Parés, fondée en 1877, qui a exposé Picasso, Casas et d'autres artistes catalans. ✪ *Plan L3*

9 Església de Sant Just i Sant Pastor
Cette belle église gothique (1342) abrite des statues du IXᵉ s. ✪ *Plan M4*

🔟 Església de Santa Anna
À deux pas de La Rambla, le cloître gothique du XVᵉ s. de cette église romane est un endroit calme et plein de verdure. ✪ *Plan M2*

Autres places **p. 36-37**

Gauche **Escribà Confiteria i Fleca** Centre **Accessoires, El Mercadillo** Droite **Entrée d'El Mercadillo**

TOP10 Souvenirs et gourmandises

1 Escribà Confiteria i Fleca
Si la devanture moderniste ne suffit pas à vous attirer, les pâtisseries et les chocolats le feront ! Emportez vos gâteaux ou dégustez-les dans le petit café. ◎ *La Rambla 83 • Plan L3*

2 Art Escudellers
Ce vaste magasin propose un large choix de céramiques espagnoles artisanales colorées selon leur région de fabrication. Dans la cave, une belle sélection de vins et de jambons vous attend. ◎ *C/Escudellers 23-25 • Plan L5*

3 Art Montfalcón
Le Palau Castanyer (xvᵉ s.) abrite une immense boutique proposant photographies, affiches, peintures, souvenirs et reproductions d'œuvres de célèbres artistes espagnols. ◎ *C/Boters 4 • Plan M3*

4 Atalanta Manufactura
Cet atelier crée et vend des soieries peintes à la main. Certains motifs sont très riches, par exemple la soie dorée inspirée des tableaux de Klimt. ◎ *Pg del Born 10 • Plan P5*

5 La Manual Alpargatera
Qu'ont en commun Jack Nicholson, le Pape et des milliers de Barcelonais ? C'est ici qu'ils achètent leurs *alpargatas* (espadrilles). ◎ *C/Avinyó 7 • Plan M4*

6 Casa Colomina
Goûtez au *torró*, le nougat espagnol, dont la Casa Colomina, fondée en 1908, propose un choix à vous faire perdre la tête. ◎ *C/Portaferrissa 8 • Plan L3*

7 Cereria Subirà
Dans la plus vieille boutique de Barcelone (1761), on trouve toutes les sortes de bougies possibles et imaginables. ◎ *Baixada Llibreteria 7 • Plan N4*

8 Zeta
Le génie barcelonais brille dans cette boutique proposant cadeaux et objets décoratifs, parfois très kitch, du bougeoir à la chaise. La plupart sont des œuvres d'artistes et de designers catalans. ◎ *C/Avinyó 22 • Plan M4*

9 Montfalcón
Pour supporter la canicule, achetez ici un éventail : anciens, peints à la main ou modernes. Des tableaux de peintres catalans sont exposés. ◎ *La Rambla 111 • Plan L3*

10 El Mercadillo
Cette petite galerie commerciale est installée dans un palais du xviiiᵉ s. On y trouve accessoires, fripes et disques. ◎ *C/Portaferrissa 17 • Plan M3*

→ *Informations sur le shopping et les heures d'ouverture des magasins* **p. 139**

Gauche **Tard dans la nuit au So_da** Droite **Dans un bar du Barri Gòtic**

TOP 10 Où bavarder autour d'un verre

1 Schilling
À travers les larges baies vitrées de ce bar spacieux, on peut observer la foule qui déambule dans la Carrer Ferran. Ici, les touristes se mélangent aux Barcelonais. ◊ *C/Ferran 23* • *Plan M4*

2 Bar L'Ascensor
Un vieil ascenseur en bois sert d'accès à ce bar convivial où la lumière est tamisée. Pour les amoureux des cocktails. ◊ *C/Bellafila 3* • *Plan M4*

3 Espai Barroc
« L'espace baroque » est installé dans la superbe cour du Palau Dalmases (XVIIe s.). Des concerts de musique classique ont régulièrement lieu le soir dans ce superbe décor. Attention : les consommations sont chères. ◊ *C/Montcada 20* • *Plan P4*

4 So_da
Le jour, cette petite boutique chic vend des vêtements de créateurs. La nuit, elle devient un *lounge* bar où l'on sert des cocktails et où des DJs mixent une *house* très cool. ◊ *C/Avinyó* • *Plan M4* • *Fer. dim.*

5 Glaciar
À un angle de la Plaça Reial, ce bar bien situé attire une clientèle mélangée. Asseyez-vous en terrasse et observez la vie de la place. ◊ *Pl. Reial 3* • *Plan L4*

6 Padam
Caché dans une ruelle donnant dans la Carrer Ferran, ce petit bar à l'ancienne passe des chansons d'Édith Piaf (dont le fameux *Padam*) et de ses contemporains. ◊ *C/Ràuric 9* • *Plan L4* • *Fer. dim.*

7 La Vinya del Senyor
Chic mais accueillant, ce bar offre un grand choix de vins d'Espagne et d'ailleurs. ◊ *Pl. Santa Maria 5* • *Plan N5* • *Fer. lun.*

8 Suborn
Dans ce café-restaurant très animé d'El Born, vous pouvez commencer la soirée… ou la terminer : passé une certaine heure, un DJ mixe de la techno et de la *house* ; le Suborn se transforme alors en bar-club. ◊ *C/Ribera 18* • *Plan P5* • *Fer. lun.*

9 Gimlet
Dans le quartier d'El Born, ce bar sert de délicieux cocktails (bien dosés) dans un cadre style années 1950. Clientèle locale. ◊ *C/Rec 24* • *Plan P4* • *Fer. dim.*

10 Mudanzas
Tables rondes en marbre, damiers noir et blanc au sol, et une ambiance accueillante font depuis longtemps de ce bar un lieu très fréquenté. ◊ *C/Vidrieria 15* • *Plan P5*

Sauf indication contraire, les bars et discothèques sont ouverts tous les jours.

Gauche **Entrée du Paradise Reggae** Droite **Au bar du Fonfone**

⁀10 Discothèques et musique *live*

1 Jamboree
Une véritable institution au cœur du Barri Gòtic : jazz *live* tous les soirs de 23 h à 1 h, puis discothèque avec des DJs qui mixent à peu près tout, du hip-hop au R&B, en passant par la salsa... ◎ Pl. Reial • Plan L4 • EP

2 Dot Light Club
Une adresse très branchée et généralement pleine à craquer, car la musique est excellente. ◎ C/Nou de Sant Francesc 7 • Plan L5

3 Café Royale
Un bar années 1970 où se retrouvent gays et hétéros pour siroter des cocktails sur un fond musical très varié : de Duke Ellington à la techno ! ◎ C/Nou de Zurbano 3 • Plan L5 • Fer. dim.

4 Harlem Jazz Club
Ambiance très décontractée dans ce club sombre et enfumé. La programmation est éclectique : jazz, blues, *flamenco fusion*, reggae et musique africaine. ◎ Comtessa de Sobradiel 8 • Plan M5 • EG souvent • Fer. lun.

5 Plàstic Café
Une adresse très cool fréquentée par les Barcelonais. Le dimanche, un DJ mixe du Rn'B, les autres jours, *house* et *jazz fusion*, entre autres. ◎ Pg del Born 19 • Plan P5 • Fer. lun.

6 Paradise Reggae
Tous les soirs, les jam-sessions attirent les fans de reggae de tous les pays. On y sert aussi une cuisine africaine innovante. ◎ C/Paradis 4 • Plan M4 • EP • Fer. lun.

7 Astin
Les DJs de ce club survolté mixent techno (jeu.) et *dance pop* (ven.-sam.). ◎ C/Abaixadors 9 • Plan N5 • EP • Fer. dim-mer.

8 Fonfone
Dans cet espace moderne à la déco géométrique, on danse tous les soirs sur tous les styles de musique, du *jazz fusion* à la *house*. ◎ C/Escudellers 24 • Plan L5 • EP

9 Al Limón Negro
Le « citron noir » est un club, un restaurant et aussi un espace où ont lieu des concerts de musiques du monde, des spectacles et parfois des expos. ◎ C/Escudellers Blancs 3 • Plan L4 • Fer. dim.

10 El Foro Club
La programmation de ce restaurant-discothèque change selon les jours : flamenco le dimanche, jam-sessions de jazz le mercredi et, le week-end, *house* et musiques électroniques mixées par des DJs. ◎ C/ Princesa 53 • Plan P4 • EP • Fer. lun.-mar.

⬎ *Vie nocturne, les meilleures adresses* **p. 46-47**

Gauche **Terrasse du Cafè-Bar L'Antiquari** Centre **Au Cafè d'Estiu** Droite **Cafè-Bar Jardin**

🔟 Cafés et bars

1 Cafè d'Estiu
Dans le patio du Museu Frederic Marès, entre des piliers recouverts de lierre et des orangers, la jolie terrasse du Cafè d'Estiu est inondée de soleil. ◈ Pl de Sant Iu 5-6 • Plan N3 • Fer. dim. et oct.-mars

2 Cafè-Bar Jardin
Ce charmant café en plein air, caché à l'étage de la galerie El Mercadillo (p. 75), est ombragé grâce aux arbres et à la vigne qui recouvre ses murs. ◈ C/Portaferrissa 17 • Plan M3 • Fer. dim.

3 Cafè-Bar L'Antiquari
L'été, installez-vous à cette terrasse de la Plaça del Rei. Puis, dans la soirée, descendez au bar, en sous-sol. ◈ C/Veguer 13 • Plan N4 • Fer. lun. midi et oct.-avr.

4 Cafè-Bar del Pi
L'Església de Santa Maria del Pi fait de l'ombre à la terrasse de ce café. Prenez place et laissez-vous distraire par les artistes de rue. ◈ Pl. Santa Josep Oriol 1 • Plan M4 • Fer. mar.

5 Cafè La Cereria
Bohème, encombré mais confortable, ce café accueille des expositions d'artistes catalans. On y sert des plats végétariens. ◈ Baixada de Sant Miquel 3-5 • Plan M4 • Fer. dim.

6 Cava Universal
Au pied du Monument a Colom (p. 12), un lieu idéal pour prendre une bière au soleil tout en observant les passants. ◈ Pl. Portal de la Pau 4 • Plan L6

7 Café del Born
La Plaça Comercial est bordée de cafés. Un peu en retrait, le Café del Born est très agréable, surtout à la tombée du jour. ◈ Pl. Comercial 10 • Plan P4

8 Caffè di Fiore
Situé dans l'ancien monastère du XIIIe s. de l'Església de Santa Maria del Mar (p. 72), ce café dispose de petites salles à l'atmosphère intime. À la carte : différents cafés et thés, des pâtisseries et des torrades salés. ◈ C/Argenteria 51 • Plan N4

9 Venus Delicatessen
Dans un décor coloré, ce café-restaurant sert d'excellents cafés et thés, et propose des plats frais et originaux. ◈ C/Avinyó 25 • Plan M5 • Fer. dim.

10 Xocoa
Cette xocolateria tenue par la même famille depuis des générations sert de délicieuses pâtisseries. Goûtez les raviolis de figues à la glace aux pêches. ◈ C/Petritxol 11 • Plan L3

Autres cafés du Barri Gòtic p. 42-43

Catégories de prix

Pour un repas avec entrée, plat et dessert, une demi-bouteille de vin, taxes et service compris.

€ Jusqu'à 10 €
€€ De 10 à 20 €
€€€ De 20 à 30 €
€€€€ Plus de 30 €

Gauche **Terrasse du Taxidermista**

⏱10 Restaurants et bars à tapas

1 Agut d'Avignon
Dans un bâtiment du XVIIᵉ s., ce restaurant franco-catalan sert une cuisine familiale, avec une touche d'originalité. Essayez le canard aux figues ou l'oie aux poires. ◉ C/Trinitat 3 • Plan M4 • 93 302 60 34 • €€€–€€€€

2 Cal Pep
Ne manquez pas les tapas et les jambons de cette institution. ◉ Pl. de les Olles 8 • Plan P5 • 93 310 79 61 • Fer. lun. midi • €€€

3 Café de l'Acadèmia
Une excellente cuisine catalane et des desserts divins sont à la carte de ce restaurant qui occupe une maison du XVIIIᵉ s. ◉ C/Lledó 1 • Plan N4 • 93 315 00 26 • Fer. sam.-dim. • €€€

4 Taxidermista
Dînez sous les arcades de la Plaça Reial dans ce restaurant occupant un ancien atelier de taxidermiste. On y sert une cuisine méditerranéenne. ◉ Pl. Reial 8 • Plan L4 • 93 412 45 36 • Fer. lun. • €€€

5 Senyor Parellada
Ce restaurant propose une excellente cuisine catalane. Goûtez ses spécialités : morue et saucisses. ◉ C/Argenteria 37 • Plan N4 • 93 310 50 94 • Fer. lun. • €€€

6 Agut
Depuis plus de 75 ans, cet accueillant restaurant familial régale ses clients d'excellents plats catalans à des prix corrects. ◉ C/Gignàs 16 • Plan M5 • 93 315 17 09 • Fer. dim. soir et lun. • €€

7 Txakolin
Installez-vous au grand bar de ce restaurant basque et goûtez les délicieux *pinchos* (tapas, en basque). On y sert aussi de succulents plats de poisson et de viande. ◉ C/Marqués de l'Argentera 19 • Plan P5 • 93 268 1781 • €€–€€€

8 Salero
L'intérieur tout blanc du « saloir » est éclairé aux bougies. Ce restaurant propose des plats méditerranéo-asiatiques... surprenants. ◉ C/Rec 60 • Plan P5 • 93 319 80 22 • Fer. dim. • €€€

9 El Xampanyet
Un bar très animé servant champagne, pichets de cidre et tapas. Ne manquez pas les anchois, la spécialité de la maison. ◉ C/Montcada 22 • Plan P4 • 93 319 70 03 • Fer. dim. soir et lun. • €€

10 Govinda
Ce restaurant indien sert des plats végétariens et de délicieux desserts, mais pas d'alcool. ◉ Pl. Vila de Madrid 4-5 • Plan M2 • 93 318 77 29 • Fer. dim. • €€€

Sauf indication contraire, tous les restaurants acceptent les cartes de paiement. Informations sur la cuisine et les restaurants **p. 138**

79

Gauche **Plaça de Joan Coromines** Droite **Chapiteaux de l'Església de Sant Pau del Camp**

El Raval

C et ancien quartier ouvrier est depuis une dizaine d'années
en pleine rénovation. Tout a commencé avec la création du *Museu
d'Art Contemporani (MACBA)* dont la façade de verre et les murs blancs
brillent aujourd'hui au milieu d'immeubles encore délabrés. Dans les
sombres ruelles, des galeries d'art contemporain et de design se sont
installées entre des épiceries asiatiques vendant herbes et épices,
de vieux bars enfumés et d'anciennes maisons closes. El Raval a même
sa propre Rambla, une nouvelle artère piétonnière baptisée « La Rambla
del Raval ». L'essor du quartier a logiquement entraîné un boom
de l'immobilier : les Barcelonais jeunes
et branchés y achètent à prix d'or
de vieux appartements rénovés.

Vitrail, Museu Maritim

🔟 Les sites

1. Museu d'Art Contemporani
2. Centre de Cultura Contemporània et Foment de les Arts Decoratives
3. Museu Maritim
4. Palau Güell
5. La Rambla del Raval
6. Carrer Nou de la Rambla
7. Carrer Tallers et Carrer Riera Baixa
8. Barri Xinès
9. Antic Hospital de la Santa Creu
10. Església de Sant Pau del Camp

1 Museu d'Art Contemporani

Ce musée abrite des œuvres de grands artistes contemporains espagnols et étrangers. Les expositions temporaires présentent le travail d'artistes de différentes disciplines. p. 28-29.

Coupole du salon central, Palau Güell

2 Centre de Cultura Contemporània et Foment de les Arts Decoratives

Le CCCB occupe un hospice du XVIIIe s., la Casa de la Caritat. Pivot de la scène artistique contemporaine, il accueille, entre autres, des expositions d'avant-garde, des conférences, des premières de film et le célèbre Sónar, le grand festival du multimédia et des musiques électroniques (p. 65). La cour a été merveilleusement mise en valeur par une grande paroi de verre inclinée qui reflète les bâtiments anciens. À côté, le couvent gothique du XVIe s. a été rénové pour accueillir le Foment de les Arts Decoratives (p. 84), un groupe d'artistes et de designers fondé en 1903. Des expositions, des conférences et des débats y ont lieu. Le café-restaurant du Foment de les Arts Decoratives est fabuleux. p. 28-29.

3 Museu Marítim

Dans les Drassanes Reials, les impressionnants chantiers navals royaux du XIIIe s., le grandiose passé maritime de Barcelone reprend vie : des maquettes de bateaux, des cartes anciennes ou encore des figures de proue sont rassemblées sous les hauts arcs gothiques. La Real, la galère commandée par Don Juan d'Autriche lors de la bataille de Lépante (1571), a été reconstituée grandeur nature. L'entrée au musée comprend aussi la visite du Santa Eulàlia (p. 98), un voilier en bois de 1918 qui a été restauré.

🔹 Av. de les Drassanes • Plan K6
• Ouv. t.l.j.10h-19h • EP

4 Palau Güell

La muse offre à l'artiste l'inspiration ; le riche mécène, la survie. En 1886 la chance tourne pour le jeune Gaudí quand le comte Eusebi Güell lui commande une demeure qui le distinguerait de ses riches voisins. Le résultat sera le Palau Güell, une des premières œuvres de Gaudí. L'imposante façade cache un intérieur sophistiqué, orné de colonnes ouvragées et de plafonds en bois sculpté. Les cheminées du toit sont décorées de mosaïques.

🔹 C/Nou de la Rambla 3-5 • Plan L4
• Vi. gui. toutes les 15 min. lun.-sam. 10h15-13h et 16h15-19h • EP

Espace puzzle au Museu d'Art Contemporani

 Informations sur Antoni Gaudí p. 11

5 La Rambla del Raval

Cette avenue piétonnière bordée de palmiers est un projet urbain récent dont le but est de créer une ambiance proche de celle de la célèbre La Rambla *(p. 12-13)*. Pour l'instant, elle n'attire que peu de monde, mais les défenseurs du projet rappellent que la Rambla del Raval vaut bien mieux que les deux rues sombres et délabrées qu'elle a remplacées. Et si les nombreux projets de création de magasins, bars et cafés se réalisent, elle pourrait bien devenir une véritable rivale. ❧ *Plan K4*

6 Carrer Nou de la Rambla

Dans la première moitié du XIXᵉ s., la rue principale d'El Raval était une enfilade de cabarets, maisons closes et autres repaires nocturnes. Un commerce différent l'anime aujourd'hui : restaurants de quartier un peu décrépis, épiceries exotiques, magasins *discount* de vêtements et de chaussures. Ses cafés et bars, comme le London Bar *(p. 86)*, ont toutefois gardé leur charme, et le soir on y croise toujours des fêtards. ❧ *Plan J5*

7 Carrer Tallers et Carrer Riera Baixa

Qui cherche des CD pirates de la dernière tournée européenne de

Shopping dans la Carrer Tallers

Madonna ou des maillots de marin rayés bleu et blanc comme en portaient Picasso et ses amis ? Au cœur d'El Raval, la Carrer Tallers et la Carrer Riera Baixa regorgent de boutiques de fripes de tous les styles, et de disquaires où l'on trouve aussi bien de vieux vinyles que les derniers CD sortis. Le samedi de 11 h à 21 h les magasins de la Carrer Riera Baixa tiennent leur propre marché et étalent leur marchandise dans la rue. ❧ *Plan L1 et K3*

8 Barri Xinès

Si vous parlez avec les habitants du quartier, ils vous diront que le Barri Xinès n'existe plus et que son nom n'a rien à voir avec les Chinois (*Xinès* en catalan). Situé entre la Carrer Sant Pau et l'Avenida de les Drassanes, le Barri Xinès était le quartier des ouvriers, des prostituées, des maquereaux, des strip-teaseuses et de dealers. Au début des années 1900, on lui a

Disquaire, Carrer Tallers

nné ce nom en référence
ux immigrants qui s'y
stallèrent. Évidemment, tous
étaient pas Chinois. La
habilitation du quartier est en
urs et, aujourd'hui, il reste peu
e son passé même si quelques
elles sont toujours mal
mées. Le jour, on flâne dans
s magasins *discount* et les
tites épiceries ; la nuit, on va
e bar en bar. ◐ *Plan K4*

Antic Hospital
de la Santa Creu

écieux souvenir du passé
édiéval du quartier, cet
cien hôpital de style gothique
401) abrite la bibliothèque
e Catalogne. Le jardin,
ès agréable, est entouré
e colonnes gothiques.
● *Entrée par la C/Carme et C/Hospital*
Plan K3 • Ouv. 24h/24 • EG

ître de l'Església de Sant Pau del Camp

Església de
Sant Pau del Camp

u cœur du quartier d'El Raval,
e cache une des plus
ciennes églises de Barcelone.
ndée au IXe s. comme
onastère bénédictin et
usieurs fois remodelée, cette
eille église romane a conservé
n paisible cloître du XIIe s.
● *C/Sant Pau 101 • Plan J4*
Ouv. mer.-lun. 11h30-13h et 18h-19h30,
ar. 11h30–12h30 • EG

Balade dans El Raval

Le matin

⊕ Commencez votre
promenade en milieu de
matinée par la visite des
expositions temporaires
du **CCCB** *(p. 81)*. Le passé
et l'avenir se mêlent
très harmonieusement
dans cet espace consacré
à l'art contemporain : une
excellente introduction au
nouveau visage du quartier
d'El Raval. Ensuite,
prenez la C/Montalegre
en direction de la mer
et arrêtez-vous Plaça
dels Àngels pour prendre
un café sous les arcs
gothiques du Convent
dels Àngels qui abrite
le **Foment de les Arts
Decoratives** *(p. 81)* et un
café-restaurant. Bouclez
cette promenade artistique
par les galeries d'art de
la C/Doctor Dou. Si vous
cherchez l'inspiration pour
décorer votre intérieur,
faites un tour chez **Alter
Ego** ou à la **Cotthem
Gallery** *(p. 84)*.

L'après-midi

Vous êtes à deux pas du
Mercat de la Boqueria
(p. 12) : suivez la C/Carme,
tournez à droite dans la
C/Jerusalem et entrez par
l'arrière dans l'immense
halle. Allez directement à
El Quim de la Boqueria
(étal 584-585), où vous
pourrez prendre un
tabouret et attaquer un plat
de moules ou de crevettes
sautées à l'huile d'olive et
à l'ail. Après, rendez-vous
dans les jardins de l'**Antic
Hospital de la Santa
Creu**, par la C/Hospital,
pour savourer l'ambiance
médiévale de ses cours et
de ses arcades. Rejoignez
ensuite le **Marsella** *(p. 86)*
pour boire une absinthe,
comme autrefois, avant de
retrouver le **London Bar**
(p. 86) et son orchestre.

Gauche **Entrée du Cercle 22** Droite **Foment de les Arts Decoratives**

10 Art contemporain et design

1 Galeria dels Àngels
Photographes, peintres et sculpteurs contemporains émergents ou reconnus, catalans ou d'ailleurs, exposent dans cette galerie ultramoderne.
◎ C/Àngels 16 • Plan K2 • Fer. dim.-lun.

2 Cercle 22
Exposition de photographes contemporains, vente de céramiques japonaises, de sculptures africaines et de pièces uniques en albâtre ont lieu ici.
◎ C/Marqués de Barberà 8 • Plan K4 • Fer. sam.-dim.

3 Espai Ras
Maquettes d'architecture, installations vidéos, design et graphisme composent les expositions de cette galerie-librairie. ◎ C/Doctor Dou 10 • Plan L2 • Fer. dim.-lun.

4 Forvm Ferlandina
La joaillerie est un art dans cette galerie-boutique qui expose des œuvres faites à partir de pierres précieuses, d'argent et d'or, mais aussi de plastique, de bois, de caoutchouc et de feutre. ◎ C/Ferlandina 31 • Plan K2 • Fer. dim.-lun.

5 Cotthem Gallery
Les meilleures expositions d'artistes contemporains internationaux ont lieu ici. ◎ C/Doctor Dou 15 • Plan L2 • Fer. dim.-lun.

6 Alter Ego
Une des galeries les plus avan gardistes de la ville, elle présente des artistes contemporains travaillant différents médias.
◎ C/Doctor Dou 11 • Plan L2 • Fer. dim.-lu.

7 Foment de les Arts Decoratives (FAD)
Informez-vous sur les expositions du FAD, qui se consacre depuis un siècle aux arts décoratifs et au design. La boutique du centre vend des accessoires, des sacs et des bijoux très bizarres.
◎ Pl. Àngels 5–6 • Plan K2 • Fer. dim.

8 Galeria Claramunt
Cette galerie présente les œuvres expérimentales (par exemple, des photomontage numériques et des installations vidéo) d'artistes pleins d'avenir.
◎ C/Ferlandina 27 • Plan K2 • Fer. dim.

9 Loring Art
Cet espace très branché accueille aussi bien des artistes multimédias et des designers que toutes les musiques électronique
◎ C/Gravina 8 • Plan L1 • Fer. sam.-dim.

10 Galeria Ferran Cano
Marchand d'art, Ferran Cano présente de grands artistes contemporains du monde entier et des performances. ◎ Pl. Àngels 4 • Plan K2 • Fer. dim.-mar.

Les vernissages ont généralement lieu une fois par mois, le mardi ou le jeudi. Pour plus d'informations, renseignez-vous dans les galeries.

Gauche **Doc Martens, Recicla Recicla** Droite **Devanture de Revólver Records**

TOP 10 Friperies et disquaires

Visiter Barcelone – El Raval

1 Mies & Felj
Passion commune de deux frères catalans et d'une Néerlandaise, la boutique déborde de vestes en cuir, de robes chinoises et de jeans d'occasion. ✆ *C/Riera Baixa 4-5 • Plan K3*

2 HoLaLa
Trois étages de fripes où l'on trouve de tout, des pantalons militaires à d'authentiques kimonos de soie en passant par des maillots de bains colorés des années 1950. ✆ *C/Tallers 73 • Plan L1*

3 Discos Edison's
Depuis 1979, la collection très large de vinyles de ce disquaire attire aussi bien les fans de folklore catalan que de comédies musicales ou de pop espagnole ! ✆ *C/Riera Baixa 9-10 • Plan K3*

4 Lailo
Dans ce cinéma reconverti en friperie, on trouve de tout : de la robe de cocktail pailletée années 1950 au costume 1920. ✆ *C/Riera Baixa 20 • Plan K3*

5 Revólver Records
Le rock règne ici, comme l'indique le mur peint à la bombe représentant les Rolling Stones et Jimi Hendrix : un étage pour les CD, un autre pour l'immense collection de vinyles. ✆ *C/Tallers 11 • Plan L2*

6 Recicla Recicla
Fouinez dans ce choix restreint mais intéressant de vêtements et de chaussures d'occasion. ✆ *C/Riera Baixa 13 • Plan K3*

7 Argot
« Sois original, achète original » : telle est la devise de cette petite boutique pleine de vêtements rétros et de tee-shirts imprimés de saints mexicains, de motifs indiens ou de portraits de Mao. ✆ *C/Hospital 107 • Plan K3*

8 Divine
Dans cette boutique qui propose des vêtements d'occasion de créateurs, on trouve parfois de belles pièces originales. Il y a aussi un rayon enfants. ✆ *C/Ramelleres 24 • Plan L2*

9 Discos Tesla
Très petite mais bien fournie, cette boutique de vinyles et de CD est spécialisée dans les musiques alternatives des décennies passées. Chantonnez quelques mesures et le vendeur retrouvera le tube. ✆ *C/Tallers 67 • Plan L2*

10 GI Joe Surplus
Un des rares surplus de l'armée et de la marine en Espagne. On y trouve des sacs marins et des vêtements des armées américaine, israélienne et russe. ✆ *C/Hospital 82 • Plan K3*

➡ *Informations sur le shopping et les heures d'ouverture des magasins* **p. 139**

Gauche **El Cafè que pone Muebles Navarro** Droite **Bar Raval**

🔟 Bars et discothèques

Bar Almirall
1 Le plus vieux bar
de Barcelone, fondé en 1860,
a conservé sa déco d'origine.
La musique est éclectique,
la clientèle jeune et sympathique,
les cocktails bien dosés.
◎ *C/Joaquin Costa 33 • Plan K2*

La Paloma
2 Cet ancien dancing mélange
tous les styles. En début de
soirée, des couples âgés valsent,
suivis par de plus jeunes
s'essayant, entre autres, au tango
et à la salsa. Des concerts de pop
et de dance y ont aussi lieu.
◎ *C/Tigre 27 • Plan J1 • Fer. lun.-mer.*

El Cafè que pone
3 Muebles Navarro
Commandez un cocktail
et enfoncez-vous au creux
d'un sofa de ce grand *lounge* bar.
◎ *C/Riera Alta 4–6 • Plan K2 • Fer. dim.*

Marsella
4 Dans ce bar moderniste,
on sert dans une lumière tamisée
un cocktail aux nouveaux venus
et une absinthe aux
habitués. ◎ *C/Sant Pau 65
• Plan K4 • Fer. dim.-jeu.*

Milk House Café
5 Ce bar décoré
dans des nuances
de rouge attire une
clientèle branchée, gay
et hétéro. Le DJ mixe
une *house* très soft.
◎ *C/Nou de la Rambla 24
• Plan K4*

Bar Raval
6 Un immense danseur
de flamenco en papier mâché
domine ce lieu fréquenté depuis
longtemps par le monde du
cinéma et du théâtre. On y sert
pizzas et salades jusqu'à 2 h du
matin. ◎ *C/Doctor Dou • Plan L2*

Moog
7 Des DJs connus mixent
de la techno aux deux étages de
ce club. La lumière et les petites
pistes créent une ambiance
intime. ◎ *C/Arc del Teatre • Plan L5 • EP*

Boadas Cocktail Bar
8 Un petit bar où l'on sert
des cocktails depuis 1933.
Ambiance très décontractée.
◎ *C/Tallers 1 • Plan L2 • Fer. dim.*

London Bar
9 Autrefois fréquenté par
Picasso, Hemingway et Miró,
ce bar en permanence bondé
est une adresse incontournable.
Concerts très divers, du jazz
au folk. ◎ *C/Nou de la Rambla 34
• Plan K4 • Fer. lun.*

Café Teatre
10 Llantiol
La tradition
barcelonaise du
cabaret perdure ici
avec de merveilleux
spectacles de mime,
de magie et de
flamenco. ◎ *C/Riereta 7
• Plan J3 • Fer. lun.
• Spectacle t.l.j. à 21h et 22h
(et minuit sam.-dim.) • EP*

Visiter Barcelone – El Raval

Bar Ra

Catégories de prix

Pour un repas avec entrée, plat et dessert, une demi-bouteille de vin, taxes et service compris.

€ Jusqu'à 10 €
€€ De 10 à 20 €
€€€ De 20 à 30 €
€€€€ Plus de 30 €

ᴛᴏᴘ10 Restaurants

1 Casa Leopoldo
Goûtez la délicieuse cuisine *mar i muntanya* (poisson et viande) de ce restaurant familial. Notre suggestion : les boulettes de viande aux seiches et aux crevettes. ◈ *C/Sant Rafael 24 • Plan K3 • 93 441 30 14 • Fer. lun. • €€€*

2 Bar Ra
Une adresse branchée où l'on sert de bons plats bios, du *yaourt-shake* aux *burritos* végétariens. ◈ *Pl. de la Gardunya • Plan L3 • 93 301 41 63 • Fer. dim. • €€*

3 Cal Isidre
Picasso, Tapiès et même Woody Allen ont savouré la cuisine catalane de ce restaurant. ◈ *C/Flors 12 • Plan J4 • 93 441 11 39 • Fer. dim. • €€€€*

4 Silenus
Cet endroit spacieux, décoré d'œuvres d'artistes, locaux propose une cuisine méditerranéenne. ◈ *C/Angels 8 • Plan K2 • 93 302 26 80 • Fer. dim. • €€€*

5 La Llotja de les Drassanes Reials
Ce restaurant installé dans les anciens chantiers navals royaux sert une cuisine catalane à base de poisson. L'été, la terrasse est très agréable. Orchestre le samedi. ◈ *Av. Drassanes • Plan K6 • 93 302 64 02 • Fer. lun. • €€*

6 Egipte
L'ambiance est très animée dans ce restaurant moderniste qui offre 60 plats méditerranéens, dont des spécialités catalanes. ◈ *La Rambla 79 • Plan L3 • 93 317 95 45 • €€*

7 Imprevist
Un café-restaurant créé par des artistes dans un vieil entrepôt, une cuisine très internationale. ◈ *C/Ferlandina 34 • Plan J2 • 93 342 58 59 • N'accepte pas les cartes de paiement • €€*

8 Mama Cafè
Ce café-restaurant sert une cuisine méditerranéenne bio et végétarienne. Projection d'œuvres d'art contemporain sur les murs. ◈ *C/Doctor Dou 10 • Plan L2 • 93 301 29 40 • Fer. dim. • €€*

9 Fonda de España
Sous un plafond moderniste signé Domènech i Montaner, on déguste une fine cuisine catalane. Le filet de sole à l'orange est un délice. ◈ *Hotel España, C/Sant Pau 9–11 • Plan L4 • 93 318 17 58 • €€€*

10 Fidel Bar
Ce vieux bar est la meilleure adresse d'El Raval pour un *entrepà* (sandwich) : essayez celui à la saucisse et au *manchego*. ◈ *C/Ferlandina 24 • Plan K2 • N'accepte pas les cartes de paiement • €*

Map labels: Universitat, Catalunya, Sant Antoni, Liceu, Paral·lel, Drassanes

⮕ *Informations sur la cuisine et les restaurants* **p. 138**

Gauche **Palau Nacional** Droite **Estadi Olímpic**

Montjuïc

aptisée le « mont juif » en raison d'un grand cimetière juif établi ici au Moyen Âge, cette colline est aujourd'hui un immense parc qui s'élève à 213 m au-dessus de la mer. Elle a d'abord été aménagée pour l'Exposition universelle de 1929, à l'occasion de laquelle l'imposant Palau Nacional et le très moderne pavillon Mies van der Rohe ont été construits. Durant la décennie suivante, la colline est laissée à l'abandon. Le château a servi pendant des années de sinistre terrain de tir aux pelotons d'exécution de Franco. À l'occasion des jeux Olympiques de 1992, qui se déroulèrent sur sa pente sud, le Montjuïc est complètement réhabilité. Aujourd'hui, la colline est une agréable oasis verte qui compte deux fabuleux musées d'art, le Museu Nacional d'Art de Catalunya et la Fondacio Joan Miró, et de grands équipements sportifs. Les sites sont reliés les uns aux autres par des escaliers mécaniques extérieurs et de paisibles jardins aménagés d'où l'on a une magnifique vue sur Barcelone. La colline de Montjuïc est aujourd'hui une étape touristique inévitable, à l'écart de l'agitation de la ville.

Statue,
Castell de Montjuïc

Les sites

1. Palau Nacional et Museu Nacional d'Art de Catalunya
2. Fundació Joan Miró
3. Font Màgica
4. Castell de Montjuïc et Museu Militar
5. Estadi Olímpic
6. Teatre Grec
7. Palau Sant Jordi
8. Pavelló Mies van der Rohe
9. Poble Espanyol
10. Caixa Forum

Un peu d'Histoire p. 30-31

Fontaines et cascades, Palau Nacional

1 Palau Nacional et Museu Nacional d'Art de Catalunya

Le Palau Nacional, construit dans un style néoclassique, abrite le Museu Nacional d'Art de Catalunya qui réunit une collection d'art médiéval catalan. La partie consacrée à l'art roman est unique en Europe. On peut y voir une extraordinaire série de fresques du XIIe s. retrouvées dans des églises des Pyrénées catalanes. *p. 18-19.*

2 Fundació Joan Miró

Joan Miró (1893-1983) est un des artistes les plus représentatifs de la Catalogne. Il a donné à la fondation, créée à son initiative, la plupart des 11 000 œuvres qu'elle compte. Son ami l'architecte Josep Lluis Sert a construit un beau bâtiment blanc qui abrite aujourd'hui la plus grande collection au monde des œuvres de l'artiste ; 25 nouvelles pièces ont récemment rejoint la collection. *p. 22-23.*

3 Font Màgica

Sous les fontaines et cascades qui descendent du majestueux Palau Nacional,

la « fontaine magique » conçue par Carles Buigas pour l'Exposition universelle de 1929 offre à la tombée du jour un fascinant spectacle son et lumière. Une chorégraphie règle les innombrables jets qui s'unissent finalement en un jet unique haut de 15 m. Le final, extravagant, est souvent accompagné de l'hymne *Barcelona* chanté par Freddie Mercury et Montserrat Caballé : la fontaine passe du rose au vert puis redevient blanche avant de s'évanouir en silence. ✆ *Av. de la Reina Maria Cristina • Plan B4 • Été t.l.j. 21h, 21h30, 22h, 22h30 et 23h ; appelez le 06 301 282 pour les horaires hors saison • EG • AH*

Castell de Montjuïc

4 Castell de Montjuïc et Museu Militar

La première pierre du château de Montjuïc fut posée au sommet de la colline en 1640. Pendant la dictature franquiste, des détenus politiques y furent torturés et emprisonnés. Aujourd'hui, il abrite un musée militaire dans lequel on peut voir d'anciennes armes et une statue de Franco. De vieux canons rouillent dans les magnifiques jardins d'où l'on a une très belle vue sur le port et sur la ville. ✆ *C/Castell • Plan B6 • Ouv. t.l.j. 10h-crépuscule • EP pour le musée*

 Le funiculaire relie la station de métro Paral·lel à la Fundació Joan Miró et au téléphérique qui montent au Castell de Montjuïc.

Estadi Olímpic

5 Le stade olympique a été construit en 1936 pour les Olympiades des Travailleurs qui furent finalement annulées à cause de la guerre civile *(p. 31)*. Il a été entièrement reconstruit pour les jeux Olympiques de 1992 *(p. 31)* ; seule la façade néoclassique a été conservée. Dans la Galeria Olímpica, une exposition illustre l'importance qu'ont eu les jeux Olympiques pour la ville. Aujourd'hui, l'Estadi Olímpic est le stade de l'équipe de football RCD Espanyol *(p. 61)*.
✪ *Av. de l'Estadi • Plan B5 • Ouv. mar.-sam. 10h-13h et 16h-18h, dim. 10h-14h • EG • AH*

Teatre Grec

6 Ce bel amphithéâtre *(p. 66)* est une référence très claire à l'Antiquité, thème cher au Noucentisme, un mouvement artistique et politique né au début du xxᵉ s. en Catalogne. Un cadre de feuillages verts et de beaux jardins : c'est un lieu enchanteur pour voir *Le Lac des Cygnes*, par exemple, ou écouter du jazz. L'été, il accueille les spectacles du Festival del Grec *(p. 65)*, ainsi qu'un luxueux restaurant en plein air.
✪ *Pg Santa Madrona • Plan C4 • Ouv. 10h-crépuscule • EG (en dehors des spectacles)*

Palau Sant Jordi

7 Ce stade couvert d'une capacité de 17 000 places *(p. 66)* a été conçu par l'architecte Arata Isozaki. Tout de verre et d'acier, il ressemble à un vaisseau spatial. L'esplanade, une incroyable forêt de colonnes de béton et de métal, est l'œuvre d'Aiko Isozaki, l'épouse de l'architecte. C'est ici que joue l'équipe de basket barcelonaise *(p. 61)*. Toujours sur la colline, mais un peu plus bas, se trouvent les piscines intérieure et extérieure Bernat Picornell *(p. 60)*, ouvertes au public. ✪ *Av. de l'Estadi • Plan A4 • Ouv. sam.-dim. 10h-18h • EG • AH*

Palau Sant Jordi

Pavelló Mies van der Rohe

8 Un joyaux d'architecture moderne, tout de pierre, de marbre et d'onyx, au milieu des bâtiments monumentaux de Montjuïc… Le pavillon conçu par Ludwig Mies van der Rohe (1886-1969) représenta l'Allemagne à l'Exposition universelle de 1929. Très en avance sur son temps, il fut vite démonté. Sa reconstruction en 1986 est le résultat d'une prise de conscience de son importance dans l'histoire de l'architecture moderne. À l'intérieur, la statue *Le Matin* de Georg

Chaises de Barcelone, **Pavelló Mies van der Rohe**

Montez et descendez autant que vous voulez du Tren Turístic (p. 133) qui fait l'aller-retour de la Plaça de Espanya au sommet de la colline.

Poble Espanyol

Kolbe (1877-1947) se reflète dans un bassin. ◉ *Av. Marquès de Comillas • Plan B4 • Ouv. t.l.j. 10h-20h • EP*

9 Poble Espanyol

Dans ce « village » (*poble*), des rues et des bâtiments typiques de toutes les régions espagnoles ont été reconstitués en taille réduite. Le village comprend également des ateliers-boutiques d'artisanat. C'est un endroit très touristique où les restaurants et cafés ne manquent pas. Il y a même quelques night-clubs ultra-branchés *(p. 95)*. ◉ *Av. Marquès de Comillas • Plan A3 • Ouv. dim.-jeu. 9h-2h, ven.-sam. 9h-4h • EP*

10 Caixa Forum

Une usine textile rénovée par l'architecte moderniste Puig i Cadafalch, abrite la collection d'art contemporain de la Fundació La Caixa. Commencée en 1985, cette collection rassemble quelque 800 œuvres d'artistes espagnols et étrangers, présentées en alternance avec des expositions temporaires. ◉ *Av. Marquès de Comillas • Plan B3 • Appelez le 93 457 62 00 pour les heures d'ouverture • EG • AH*

Une journée à Montjuïc

Le matin

🕐 Visitez la **Fundació Joan Miró** *(p. 22-23)* avant la foule : prenez tôt le funiculaire qui part de la station de métro Paral·lel. Prévoyez une heure et demie pour découvrir l'immense collection de peintures, esquisses et sculptures. Une fois repu d'art contemporain, c'est

☕ l'heure d'un *cafè amb llet* *(p. 43)* à la terrasse du restaurant, avant de redescendre l'Av. de Miramar pour emprunter le téléférique qui monte au **Castell de Montjuïc** *(p. 89)*. Baladez-vous dans ses jardins et profitez de la vue sur la ville et sur l'animation des docks. Retournez en téléférique à l'Av. de Miramar et suivez les panneaux indiquant le **Palau Nacional** *(p. 89)*. À l'intérieur du musée

🍴 *(p. 95)*, se trouve la Sala Oval, un restaurant offrant de délicieuses spécialités catalanes.

L'après-midi

Comptez une heure pour visiter l'extraordinaire collection d'art roman du **MNAC** *(p. 18-19)*. En sortant, prenez à droite et suivez les panneaux indiquant les installations olympiques. L'**Estadi Olímpic** mérite une visite, le dôme argenté du **Palau de Sant Jordi** également. Terminez l'après-midi en vous rafraîchissant avec une baignade dans la magnifique piscine en plein air Bernat Picornell *(p. 60)*, à proximité du stade. Vous pourrez peut-être même y

☕ voir un film ! Le **Poble Espanyol** est à deux pas. Pour finir la journée, installez-vous à une des terrasses de la Plaça Mayor et dégustez un *cuba libre*.

➡ *Pages suivantes* **Devant d'autel du XIIIᵉ s., Museu Nacional d'Art de Catalunya**

91

PAR   BALTASAR   DELTEOR

Gauche **Jardins Mossèn Jacint Verdaguer** Droite **Jardins del Castell**

Parcs et jardins

1 Jardins Mossèn Costa i Llobera

Un des plus grands jardins de cactus d'Europe, impressionnant surtout au coucher du soleil quand des silhouettes et des ombres irréelles surgissent. ✎ *Plan C5*

2 Jardí Botànic

En cours de réalisation, ces jardins sauvages abritent des centaines d'espèces de la Méditerranée. En plus, la vue sur la ville est magnifique. ✎ *Plan A4 • Ouv. lun.-sam. 10h-17h, dim. 10h-15h (juil.-sept. t.l.j. 10h-20h)*

3 Jardins Mossèn Jacint Verdaguer

Ces jardins très raffinés portent le nom d'un grand poète catalan. La meilleure saison pour les visiter est le printemps, à la floraison : une explosion d'arômes et de couleurs… ✎ *Plan C5*

4 Jardins del Castell

Dans les jardins du château, des sentiers longent les douves recouvertes de fleurs et, entre les rosiers, des canons pointent. ✎ *Plan B5*

5 Jardins del Teatre Grec

Officiellement baptisés La Rosaleda, les jardins de l'amphithéâtre grec sont une pure merveille. ✎ *Plan C4*

6 Jardins de Miramar

En face du belvédère de Miramar, ces jardins entrecoupés d'escaliers mènent à de jolis bosquets d'où la vue est superbe. ✎ *Plan C5*

7 Jardins Laribal

Ce parc sur plusieurs niveaux cache une petite maison moderniste de Puig i Cadafalch et la Font de Gat, une fontaine d'eau potable qui a inspiré bien des chansons. ✎ *Plan B4*

8 Jardins de Joan Maragall

L'attrait de ces jardins réside dans l'allée bordée de statues de Frederic Marès et Ernest Maragall. Ils abritent aussi les derniers *ginjoler* (jujubiers) de la ville. ✎ *Plan B4 • Ouv. sam.-dim. 10h-18h*

9 Muntanya de Montjuïc

Le flanc sud de Montjuïc est la seule partie non aménagée de la colline. D'innombrables sentiers secrets traversent une nature encore sauvage. ✎ *Plan A5*

10 El Mirador del Llobregat

Ce belvédère entouré de petits jardins est le seul endroit de Barcelone d'où l'on peut voir la plaine du Llobregat. ✎ *Plan A3 • AH*

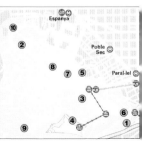

Sauf indication contraire, les parcs et les jardins sont ouverts de 10 h au crépuscule.

Catégories de prix

Pour un repas avec
entrée, plat et dessert,
une demi-bouteille de
vin, taxes et service
compris.

€ Jusqu'à 10 €
€€ De 10 à 20 €
€€€ De 20 à 30 €
€€€€ Plus de 30 €

Intérieur du Font de Prades

🔟 Restaurants, bars et discothèques

1 Restaurant du MNAC
La grande Sala Oval du Palau Nacional abrite un restaurant élégant. Les pâtisseries sont très bonnes. 🏵 *Parc de Montjuïc • Plan B4 • 93 424 21 92 • Fer. le soir • AH • €*

2 Cañota
Une cuisine traditionnelle succulente à des prix très abordables, Cañota ne faillit pas à sa fantastique réputation. 🏵 *C/Lleida 7 • Plan C4 • 93 325 91 71 • Fer. à midi • €€*

3 Restaurant de la Fundació Joan Miró
Ce restaurant possède une très belle terrasse avec vue sur les sculptures de Miró. On y sert une cuisine moderne aux accents italiens. 🏵 *Parc de Montjuïc • Plan B5 • 93 329 07 68 • Fer. le soir • AH • €€-€€€*

4 Rias de Galicia
Dans un aquarium géant, crabes, homards et autres crustacés sont pêchés et aussitôt servis. 🏵 *C/Lleida 9 • Plan C4 • 93 424 81 52 • €€€€*

5 Cala Santa Maria
En dehors des circuits touristiques, cet établissement authentique servant de très bonnes tapas mérite un détour. 🏵 *C/Guadiana 12 • Plan B2 • 93 421 87 05 • Fer. à midi et lun. • €*

6 L'Albi
Ce restaurant avec terrasse situé sur la place centrale du *poble* offre un bon choix de plats méditerranéens. 🏵 *Poble Espanyol • Plan A3 • 93 508 63 00 • €€*

7 Torres de Àvila
La techno règne dans cette discothèque qui occupe les énormes tours gothiques reconstituées à l'entrée du Poble Espanyol. 🏵 *Poble Espanyol • Plan A3 • EP*

8 Font de Prades
Le meilleur restaurant du Poble Espanyol. Choisissez une des tables du patio. 🏵 *Poble Espanyol • Plan A3 • 93 426 96 27 • €€*

9 Bar Miramar
La cuisine style « poulet frites » n'a rien d'extraordinaire. En revanche, la vue sur la ville est imbattable. 🏵 *Av. de Miramar • Plan C5 • €*

10 Restaurant Martí
Un établissement typique offrant des menus très bon marché dans un cadre aussi simple qu'agréable. 🏵 *Consell de Cent 38–40 • Plan B3 • 93 325 75 15 • Fer. dim. soir • AH • €€*

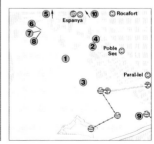

Tous ces restaurants acceptent les cartes de paiement. L'entrée au Poble Espanyol est gratuite avec une réservation dans un restaurant.

Gauche **L'Aquàrium** Droite **Passerelle entre La Rambla et le Moll d'Espanya**

Port Vell, Barceloneta et Port Olímpic

L e charme de la Méditerranée baigne Barcelone et il suffit d'un court trajet en métro pour plonger dans des eaux bleues. Depuis 1992, la ville est « oberta al mar », c'est-à-dire ouverte sur la mer. À l'occasion des jeux Olympiques, le bord de mer a en effet été complètement transformé et les anciens terrains vagues et friches industrielles sont devenus des plages. Sur des kilomètres, de l'ancien quartier de pêcheurs de Barceloneta jusqu'au Port Olímpic et même au-delà, des tonnes de sable fin ont été transportées, des palmiers plantés et des statues d'artistes contemporains élevées. La propreté des eaux est désormais très surveillée. Le résultat est un véritable succès, comme l'atteste la foule qui s'y presse. Le Port Olímpic est dominé par la silhouette des deux premiers gratte-ciel construits à Barcelone : la Torre Mapfre, des bureaux, et l'Hotel Arts, un 5 étoiles (p. 143). À leurs pieds se concentre le plus grand nombre de bars et de discothèques de la ville.

Plage de Barceloneta

⭐🔟 Les sites

1. Les plages
2. Museu d'Història de Catalunya
3. Rambla de Mar
4. L'Aquàrium
5. Barceloneta
6. Bateaux et téléférique
7. Pailebot Santa Eulàlia
8. Sous-marin Ictíneo II
9. El Centre de la Vila-Port Olímpic
10. World Trade Center

Informations sur les visites du port en bateau **p. 133**

1 Les plages

Une petite baignade ? Descendez toute La Rambla, passez sous les palmiers du Moll de la Fusta, puis devant tous les restaurants du Passeig Joan de Borbó et vous arriverez au bord de la mer. Plus de 4 km de plages impeccables s'étirent de Barceloneta au Port Olimpic et au-delà. Les plages, surveillées, sont bien équipées : douches, transats et filets de beach volley. Mais le plaisir doit être partagé : il est difficile parfois de se faire une place parmi les corps huilés, surtout en plein été. ✪ Plan E6

Museu d'Història de Catalunya

2 Museu d'Història de Catalunya

Le Palau del Mar, un ancien entrepôt du port, abrite maintenant un musée qui retrace l'histoire de la Catalogne, de la préhistoire à nos jours. La muséographie, interactive, est tout à fait adaptée aux enfants *(p. 63)*. On visite, par exemple, un bunker de l'époque de la guerre civile et un bar catalan typique des années 1960 avec son *futbolín* (baby-foot). ✪ Palau del Mar, Pl. Pau Vila 3 • Plan N6 • Ouv. mar.-sam. 10h-19h (20h mer.), dim. 10h-14h30 • EP • AH

3 Rambla de Mar

Baladez-vous sur la Rambla de Mar, le ponton de bois qui mène au Maremagnum. Ce complexe rutilant abrite des boutiques, des *fast-foods* et des clubs dans lesquels des « animatrices » légèrement vêtues *(p. 100)* dansent sur les tables. Un peu plus loin, l'immense salle IMAX projette sur des écrans géants des films de nature, d'aventure ou de sport, en 3D. ✪ Moll d'Espanya • Plan E5 ✪ Maremagnum • Ouv. t.l.j. 11h-23h ✪ IMAX, séances t.l.j. 10h30-23h30 • EP • AH

4 L'Aquàrium

Cet aquarium, un des plus grand d'Europe, propose un face-à-face avec les nombreux animaux de la Méditerranée. Sa grande attraction est un tunnel sous-marin long de 80 m : sur un tapis roulant, on découvre des profondeurs inconnues et traversées par d'inquiétants requins. Récemment aménagé, le niveau « Explora ! » est une exposition interactive sur les écosystèmes méditerranéens qui plaira beaucoup aux enfants. ✪ Moll d'Espanya • Plan E6 • Ouv. juil.-août t.l.j. 9h30-23h ; sept.-juin t.l.j. 9h30-21h30 • EP

Yachts, Port Olimpic

Le café situé sur le toit du Museu d'Història de Catalunya offre un vaste panorama sur la ville, le quartier du port et Montjuïc.

5 Barceloneta

Le quartier des *pescadors* (pêcheurs) et des *mariners* (marins) est aujourd'hui encore à des années-lumière du gigantisme commercial et des paillettes des discothèques du Port Olímpic voisin. En vous perdant dans ses rues étroites, sur ses placettes et dans ses vieux bars, vous

Yachts et gratte-ciel, Port Olímpic

aurez un aperçu du Barcelone d'il y a 150 ans. Ici, les anciens tirent toujours leur chaise dans la rue pour regarder passer les gens tout en causant. Les petits restaurants proposent un *menú del dia* qui comprend invariablement la pêche du jour. Le long du Passeig Joan de Borbó, s'alignent d'autres restaurants servant *marisc* (coquillages) et paellas. ✺ Plan F5

6 Bateaux et téléphérique

Observez l'activité du port de la mer ou du ciel ! Le *telefèric* offre des vues aériennes de Barcelone, tandis

Dans le quartier de Barceloneta

que les Golondrines à l'ancienne et le catamaran Orsom vous embarquent pour une croisière autour du port.
✺ *Telefèric, depuis la Torre Jaume I et la Torre San Sebastià • Plan D6 et E6 • 10h30-crépuscule • EP* ✺ *Les Golondrines, Portal de la Pau • Plan E5 • environ toutes les 30 min. à partir de 11h • EP* ✺ *Orsom Catamaran, Moll d'Espanya • Plan E5 • Juin-août t.l.j. 13h15, 16h15 et 19h15 ; sept.-mai t.l.j. midi, 15h et 18h • EP • AH*

7 Pailebot Santa Eulàlia

Ce trois-mâts arrimé au Moll de la Fusta (« le quai des Bois ») transportait autrefois à Cuba du sel et des tissus et revenait chargé de tabac, de café, de céréales et de grumes. Baptisé *Carmen Flores,* il a fait voile en 1918 pour la première fois. En 1997, le Museu Marítim *(p. 81)* l'achète et le restaure pour l'ajouter à sa collection de vieux gréements en état de naviguer.
✺ *Moll de la Fusta • Plan L6 • Ouv. t.l.j. 11h-19h (11h-crépuscule en hiver) • EP*

8 Sous-marin Ictíneo II

En 1859, le Catalan Narcís Monturiol invente un des premiers sous-marins : un engin de bois en forme de poisson, mû par deux moteurs à vapeur internes et initialement conçu pour récolter le corail. On peut en voir une réplique sur le Moll d'Espanya. Il est aujourd'hui difficile de croire que Monturiol fit plusieurs voyages sous la mer à bord d'une version antérieure. Pourtant, l'*Ictíneo* a fini par ruiner son créateur : Monturiol

chercha même à le vendre
à l'armée qui n'en voulut pas.
Le sous-marin a finalement
été vendu en morceaux !
🔖 *Moll d'Espanya • Plan E5*

9 El Centre de la Vila-Port Olímpic

Ce grand centre commercial
abrite non seulement
de nombreux magasins, des cafés
et des *fast-food*, mais, surtout,
les salles du Icària Yelmo
Cineplex *(p. 67)*, un des plus
grands cinémas de Barcelone
projetant des films en VO.
🔖 *Salvador Espriu 61 • Plan H5*
• Magasins ouv. lun.-sam. 10h-22h

Pailebot Santa Eulàlia

10 World Trade Center

Ce grand édifice circulaire
renferme des bureaux et des
salles de conférences, un hôtel
5 étoiles et le restaurant de luxe
Ruccula *(p. 101)*. Il abrite aussi
plusieurs boutiques de souvenirs
dont la Galeria Surrealista qui
vend des objets inspirés de Dalí
et des Surréalistes. Dans la cour
centrale, laissez-vous surprendre
par la fontaine. La Torre Jaume I,
située juste à côté, est le point
de départ du téléphérique.
Du toit, la vue est splendide
🔖 *Moll de Barcelona • Plan D6 • AH*

À la découverte du port

Le matin

Commencez votre *passeig*
(balade) par la visite du
Museu Marítim *(p. 81)*,
magnifique témoignage
de la puissance maritime
de la ville par le passé.
De là, dirigez-vous vers
le Monument a Colom
(p. 12), et empruntez le
Moll de la Fusta. Admirez
le **Pailebot Santa Eulàlia**,
magnifiquement restauré.
Descendez la **Rambla
de Mar** *(p. 97)*, et suivez
le ponton représentant
les vagues de la mer, qui
vous conduira aux mirages
du grand centre commercial
Maremagnum. Une fois
de l'autre côté du ponton,
embarquez sur un
catamaran Orsom :
allongé sur un filet au ras
de l'eau, prenez un verre
et grignotez en profitant
du soleil et de la vue sur
le port. Après, descendez
le Moll d'Espanya et
rejoignez la **Barceloneta**,
le vieux quartier
de pêcheurs. Parcourez
les ruelles de cet îlot qui
n'a pas changé. Vous
retrouverez l'ambiance du
vieux Barcelone dans le bar
à tapas **El Vaso de Oro**
(C/Balboa 6). Installez-vous
au bar et n'oubliez pas de
commander les spécialités
de la maison.

L'après-midi

Si vous avez envie d'une
petite sieste, suivez le
Passeig Joan de Borbó pour
rejoindre la plage. Ici, le
soleil vous assoupira. Plus
tard, piquez une tête puis
reprenez le Passeig Joan
de Borbó et arrêtez-vous au
Salamanca Chiringuito
(tout au bout) : commandez
une sangria puis enfouissez
vos orteils dans le sable,
regardez les vagues caresser
la plage tandis que le soleil
descend à l'horizon.

Sur le Passeig Marítim, on ne peut pas manquer le *Peix*,
la scintillante sculpture monumentale de Frank Gehry **p. 41**

Gauche **Pachito** Droite **Star Winds**

ᵀᴼᴾ10 Bars et discothèques

Visiter Barcelone – Port Vell, Barceloneta et Port Olímpic

1 Circus
Les deux étages de cette discothèque du port vibrent au son d'une *house* en direct d'Ibiza. *Animadors* et danseurs professionnels organisent soirées à thème et shows. ✪ *Maremágnum, Moll d'Espanya • Plan E6 • Fer. dim.-jeu.*

2 Mojito Bar
Ici, on danse uniquement la salsa. Vous pourrez même prendre une leçon (à partir de 23 h). Si vous voulez changer de la salsa mais rester dans des rythmes latinos, allez au bar d'à côté, le Caipirinhia. ✪ *Maremágnum, Moll d'Espanya • Plan E6*

3 Pachito
Un des premiers clubs de la longue file du Port Olímpic. Au Pachito, on danse au rythme de la techno et d'une *house* latino. ✪ *Moll Mistral 43 • Plan G5*

4 Kennedy Irish Sailing Club
Fatigué de la dance music ? Tous les soirs, ce bar en plein air programme un concert rock ou pop ; on peut aussi regarder du sport sur écrans géants. ✪ *Moll Mistral 26-27 • Plan G5*

5 Nayandei Disco
Le week-end, ce club est bondé de fans de *house* et de techno. À côté, la Nayandei Boîte propose salsa et pop des années 1970 et 1980. ✪ *Maremágnum, Moll d'Espanya • Plan E6*

6 Star Winds
Déchaînez-vous au son de la *house* sur le toit-terrasse de cette discothèque, pleine à craquer le week-end. En face, le bar du Irish Winds est *very* irlandais. ✪ *Maremágnum, Moll d'Espanya • Plan E6*

7 Salsa
L'ambiance est chaude dans ce club où les accros aux rythmes latinos viennent danser et flirter. ✪ *Moll Mistral 21 • Plan G5*

8 Cafè & Cafè
Prenez un remontant avant de vous lancer dans la tournée des discothèques. Ce café-bar est décoré d'objets d'ex-Yougoslavie, la patrie du premier propriétaire. ✪ *Moll Mistral 30 • Plan G5*

9 Fiesta
Cette petite boîte a 4 bars : il est facile de regagner la piste après un verre. ✪ *Maremágnum, Moll d'Espanya • Plan E6*

10 Razzmatazz
Plusieurs soirs par semaine, ce club branché accueille des concerts allant du jazz au rock ; les vendredi et samedi : musiques alternatives. À côté, The Loft (même gérant) propose techno et musiques électroniques. ✪ *C/Almogàvers 122 (The Loft: C/Pamplona 88) • Plan H4 • Fer. dim.-jeu.*

  Vie nocturne, les meilleures adresses p. 46-47

Catégories de prix

Pour un repas avec entrée, plat et dessert, une demi-bouteille de vin, taxes et service compris.

€ Jusqu'à 10 €
€€ De 10 à 20 €
€€€ De 20 à 30 €
€€€€ Plus de 30 €

Paella, Can Ramonet

⁝⁰10 Restaurants et bars à tapas

1 Set Portes
Depuis 1836, on sert ici une des meilleures cuisines catalanes de la ville. Essayez la paella et le plateau de fruits de mer. ◎ Pg Isabel II 14 • Plan N5 • 93 319 30 33 • €€

2 Agua
On voit la mer depuis la terrasse. Au menu, poisson, fruits de mer et spécialités méditerranéennes. ◎ Pg Marítim 30 • Plan G6 • 93 225 12 72 • €€

3 Cal Manel la Puda
Dans ce restaurant du *passeig*, la pêche du jour se transforme en une cuisine catalane délicieuse. ◎ Pg Joan de Borbó 60-61 • Plan F6 • 93 221 50 13 • €€

4 Talaia Mar
Goûtez l'excellente cuisine méditerranéenne servie dans ce restaurant du port. La *cua de rapè*, de la lotte, est divine. ◎ C/Marina 16 • Plan G6 • 93 221 90 90 • €€€€

5 Can Ramonet
Un des plus vieux restaurants du quartier. On y sert du poisson, des fruits de mer et des paellas. La spécialité est la paella *Can Ramonet*, généreuse en viande et fruits de mer. ◎ C/Maquinista 17 • Plan F6 • 93 319 30 64 • €€

6 Restaurant du Reial Club Marítim
L'établissement du yacht club offre une vue sur le port et une carte haut de gamme. Essayez la salade de thon et de seiches ou le homard et les gambas. ◎ Moll d'Espanya • Plan E6 • 93 221 71 43 • €€€

7 Can Ganassa
Depuis des décennies, ce bar familial sert aux habitués des tapas au poisson et aux fruits de mer. ◎ Pl. de la Barceloneta 4-6 • Plan F6 • 93 225 19 97 • €-€€

8 El Cangrejo Loco
Le « Crabe Fou » se distingue des autres restaurants du Port Olympic par ses produits d'excellente qualité et par une belle vue sur le port. ◎ Moll de Gregal 29-30 • Plan F6 • 93 221 05 33 • €€

9 Suquet de l'Almirall
La famille qui tient cette petite merveille prépare un *arroz de barca* (riz aux moules, au crabe et aux calmars) et un *suquet* (poisson, fruits de mer et pommes de terre), absolument divins ! ◎ Pg Joan de Borbó • Plan F6 • 93 221 62 33 • €€€

10 Ruccula
Cet établissement doit son succès à l'originalité de sa cuisine méditerranéenne. ◎ World Trade Center, Moll de Barcelona • Plan D6 • 93 508 82 68 • AH • €€

Sauf indication contraire, tous les restaurants acceptent les cartes de paiement. Informations sur la cuisine et les restaurants **p. 138**

Gauche **Fontaine, Rambla de Catalunya** Droite **Entrée d'un hôtel moderniste**

Eixample

S i la vieille ville est le cœur de Barcelone et les vertes collines du
Tibidabo et de Montjuïc ses poumons, l'Eixample est sans aucun doute
son centre nerveux, son pôle économique et commercial. Le quartier
commence à prendre forme en 1860 quand on abat l'enceinte médiévale
(p. 30) pour étendre la ville. Tracé selon les plans de l'ingénieur catalan
Ildefons Cerdà, l'Eixample, le nouveau quartier, suit un quadrillage
rigoureux. La haute bourgeoisie barcelonaise demande ensuite aux
architectes modernistes d'y construire des immeubles. L'Eixample s'orne ainsi,
au début du xxᵉ s., d'audacieuses façades aujourd'hui encore admirées par
les étudiants en architecture et les touristes. C'est un quartier chic où l'on
trouve de charmants cafés, de belles boutiques de
design, de très bons restaurants ainsi que des bars
et des discothèques branchés.

🔟 Les sites

1. Sagrada Familia
2. La Pedrera
3. Mansana de la Discòrdia
4. Hospital de la Santa Creu i de Sant Pau
5. Fundació Tàpies
6. Palau Macaya
7. Fundació Francisco Godia
8. Rambla de Catalunya
9. Universitat de Barcelona
10. Museu Egipci

Flèches de la Sagrada Familia

Autres bâtiments modernistes p. **32-33**

1 Sagrada Família

La magie architecturale de Gaudí s'exprime pleinement dans cette église incroyable, merveilleuse et folle qui domine les toits de Barcelone. *p. 8-10.*

2 La Pedrera

Audacieux et fantaisiste à la fois, La Pedrera est l'édifice civil le plus frappant de Gaudí. *p. 20-21.*

3 Mansana de la Discòrdia

Au cœur du *Quadrat d'Or* (Carré d'Or), le « Bloc de la Discorde » doit son surnom au contraste saisissant qu'offre l'architecture de trois édifices modernistes. Entre 1900 et 1907, trois familles bourgeoises rivalisent en commandant chacune une résidence aux trois architectes modernistes concurrents : Domènech i Montaner, Puig i Cadafalch et Gaudí. Domènech i Montaner dessine la Casa Lleó Morera, à la décoration très riche *(p. 33)* ; Puig i Cadafalch conçoit la Casa Amatller, dans un style néogothique *(p. 33)* ; et Gaudí déploie tout son talent pour la Casa Batlló *(p. 33)*. Toutes les trois ont des intérieurs splendides, mais seule la Casa Amatller est ouverte au public. Aux n°s 37 et 39, deux villas moins célèbres méritent un

Fenêtres de la Casa Batlló, Mansana de la Discòrdia

détour. Le n° 39 abrite le musée du Parfum qui ravira les amateurs de fragrances *(p. 41)*.
🔊 *Pg de Gràcia 35-45 • Plan E2*

4 Hospital de la Santa Creu i de Sant Pau

On jouerait bien au malade imaginaire pour être admis dans cet hôpital bâti en deux temps : commencé par Domènech i Montaner et achevé par son fils. Ce chef-d'œuvre est un ensemble de plusieurs pavillons reliés les uns aux autres par des tunnels souterrains. Chaque pavillon, unique, évoque l'histoire de la Catalogne à travers des peintures murales, des mosaïques et des sculptures. Les jardins qui entourent les bâtiments constituent un merveilleux espace de verdure. L'hôpital est toujours en service. Cours et jardins sont accessibles au public. 🔊 *C/Sant Antoni Maria Claret 167 • Plan H1*

Gauche **Hospital de la Santa Creu i de Sant Pau** Droite **Casa Lleó Morera**

Cour intérieure du Palau Macaya

5 Fundació Tàpies

Cette fondation, comme son nom l'indique, est consacrée à Antoni Tàpies (né en 1923), un des plus grands artistes contemporains catalans. Elle occupe le premier bâtiment moderniste construit par Domènech i Montaner *(p. 32)*. Avant d'entrer, faites-vous une idée de l'œuvre de Tàpies en levant les yeux vers le toit, surmonté d'une de ses sculptures *Nuage et Chaise* (1990). La collection, qui compte plus de 300 œuvres, est très représentative de son travail. Ne manquez pas ses peintures abstraites, notamment *Ocre gris sur brun* (1962). La fondation accueille aussi des expositions temporaires d'art contemporain. Mario Herz, Hans Hacke et Craigie Horsfield ont exposé ici récemment. ◈ *C/Aragó 255* • *Plan E2* • *Ouv. mar.-dim. 10h-20h* • *EG* • *AH*

6 Palau Macaya

Conçu par Puig i Cadafalch (1901), ce palais est un bel exemple de l'influence gothique dans l'architecture moderniste. Sa façade, blanche, très décorée et surmontée de deux tours, est féerique. Remarquez le travail du sculpteur moderniste Eusebi Arnau. Le palais abrite aujourd'hui les expositions temporaires du

Ildefons Cerdà

En 1859, la municipalité adopte le projet d'Ildefons Cerdà pour la ville « neuve », un plan d'expansion de Barcelone. Animé d'un idéal socialiste, Cerdà prévoit de tracer des îlots carrés de même taille et d'y construire, autour d'une cour-jardin, des immeubles identiques. Mais les promoteurs se mêlent du projet et transforment les cours-jardins en entrepôts et ateliers. Des projets de réhabilitation des espaces verts sont en cours.

Centre Cultural de la Caixa. ◈ *Pg Sant Joan 108* • *Plan F2* • *Ouv. mar.-sam. 11h-20h, dim. 11h-15h* • *EG* • *AH*

7 Fundació Francisco Godia

Connu pour ses prouesses de pilote de Formule 1, Francisco Godia (1921-1990) était aussi un passionné d'art. Il a constitué une belle collection d'œuvres allant du Moyen Âge au XXe s. Remarquez le retable de sainte Marie-Madeleine (vers 1445), de Jaume Huguet, ainsi que les céramiques du XVIIe s. réalisées par le peintre Luca Giardano. ◈ *C/Valencia 284* • *Plan E2* • *Ouv. mer.-lun. 10h-20h* • *EP*

Nuage et Chaise, sculpture, Fundació Tàpies

Achetez le pass La Ruta Modernista qui donne droit à des réductions sur l'entrée des principaux bâtiments modernistes **p. 133**

8 Rambla de Catalunya

Prolongement chic de la célèbre Rambla, cette avenue est bordée de beaux immeubles et de très belles boutiques (p. 50). Les nombreuses terrasses de cafés, où l'on peut profiter de l'ombre des arbres, sont le lieu idéal pour prendre un verre en regardant les passants. Au n° 77, ne manquez pas la Farmàcia Bolos qui possède une jolie façade moderniste. ⊗ Plan E2.

Patio, Universitat de Barcelona

9 Universitat de Barcelona

Jusqu'en 1958, c'était la seule université de la ville. Aujourd'hui, Barcelone en compte six. Le bâtiment de l'université (1861-1889) s'étend sur l'équivalent de deux îlots d'immeubles de l'Eixample. À l'intérieur, les patios offrent un refuge frais pendant la canicule de l'été. ⊗ Pl. de la Universitat • Plan E3

10 Museu Egipci

Le plus grand musée d'égyptologie d'Espagne rassemble plus de 350 pièces couvrant plus de 3 000 ans d'histoire : figures de terre cuite, momies d'êtres humains et d'animaux, et un buste de la déesse-lionne Sekhmet (700-300 av. J.-C.). ⊗ C/Valencia 284 • Plan E2 • Ouv. lun.-sam. 10h-20h, dim. 10h-14h, vi. gui. sam. 12h et 18h • EP

Itinéraire moderniste

Le matin

🕐 Réveillez-vous avec un café solo au bar Oro Negro (à l'angle de la C/Diputació et de la C/Aribau), un lieu qui n'a jamais changé. Allez ensuite vous promener dans les jardins de l'Universitat. Dos à l'université, prenez la Gran Via de les Corts Catalanes sur la gauche, passez devant le Ritz (p. 143) et tournez à droite dans la C/Bruc. Prenez encore à droite dans la C/Casp, perpendiculaire, où se trouve la Casa Calvet (p. 109), conçue par Gaudí. Continuez dans la C/Casp jusqu'à ce que vous croisiez le Pg de Gràcia. Tournez de nouveau à droite et poursuivez votre chemin jusqu'aux magnifiques bâtiments de la Mansana de la Discòrdia (p. 103). Visitez le Museu del Perfum (p. 41) puis le parfumerie Regia (p. 106). Plus loin dans le Passeig de Gràcia, admirez La Pedrera (p. 20-21), le chef-d'œuvre de Gaudí. Un petit creux ? Arrêtez-vous au Tragaluz (p. 107), Pg de la Concepció, où l'on peut manger en compagnie de la jet-set sans se ruiner.

L'après-midi

Reprenez le Pg de Gràcia, à gauche, puis tournez à droite dans l'Av. Diagonal. Au n° 416, admirez la Casa de les Punxes (p. 33). Faites un détour par le n° 28 du Pg Sant Joan, à gauche, pour visiter le Palau Macaya. Revenez sur vos pas et tournez à gauche dans la C/Mallorca qui vous conduira à la Sagrada Família (p. 8-11). Reposez-vous Plaça de Gaudí en admirant la façade la Nativité avant de grimper au sommet des tours. Une fois en haut, profitez de la superbe vue sur la ville.

105

Gauche **Luminaire, Dos i Una** Centre **Passeig de Gràcia** Droite **Mobilier, Vinçon**

Boutiques de design

1 Vinçon
Du mobilier et des objets merveilleusement dessinés par les meilleurs designers espagnols, le tout exposé dans un appartement bourgeois du début du siècle, époustouflant ! ◈ *Pg de Gràcia 96* • *Plan E2*

2 BD Ediciones de Diseño
Cette superbe boutique de design occupe la Casa Tomàs, un bâtiment moderniste. On y vend les créations des meilleurs designers catalans. ◈ *C/Mallorca 291* • *Plan F2*

3 Regia
La plus grande parfumerie de la ville propose plus de 100 fragrances, toutes les grandes marques mais aussi des surprises. Le Museu del Perfum *(p. 41)* est dans le même bâtiment. ◈ *Pg de Gràcia 39* • *Plan E2*

4 Dos i Una
Sol métallique et couleurs psychédéliques : cette boutique de design vend toutes sortes d'objets typiques. Idéal, si vous avez des cadeaux à faire. ◈ *C/Rosselló 275* • *Plan E2*

5 Muxart
Réputé pour la qualité de ses cuirs, ce magasin de chaussures équipe hommes, femmes et enfants. ◈ *C/Rosselló 230* • *Plan E2*

6 Biosca & Botey
Cette boutique ultra-chic ne vend que des lampes : Art Nouveau, avant-gardistes et bien d'autres… ◈ *Rambla de Catalunya 129* • *Plan E2* • *DA*

7 Dom
Ce magasin de mobilier et d'objets en plastique propose des reproductions bon marché des classiques des années 1950 et 1960. ◈ *Pg de Gràcia 76* • *Plan E2*

8 D Barcelona
Cette boutique offre un très large choix de gadgets et de cadeaux. Elle sert aussi d'espace d'exposition pour les designers qui montent et les déjà connus. ◈ *Av. Diagonal 367* • *Plan F2*

9 Kowasa
Cette librairie spécialisée dans la photo vend plus de 7 000 titres, dont des magazines étrangers. Vous pouvez prendre votre temps, on ne vous le fera pas remarquer… ◈ *C/Mallorca 235* • *Plan E2* • *DA*

10 Sadur
La propriétaire fabrique et vend des objets en cuir, surtout des portefeuilles et des sacs. Des créations originales, bien faites et à bon prix ! ◈ *C/Bruc 150* • *Plan F2*

Informations sur le shopping et les heures d'ouverture des magasins p. 139

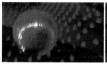

Vie nocturne dans l'Eixample

₀₁0 L'Eixample de nuit

1 La Fira
Ce bar décoré avec des objets provenant d'anciennes fêtes foraines a beaucoup de succès. Commandez un *cuba libre* entre deux swings. Une ambiance et un cadre unique. ✆ *C/Provença 171 • Plan D2 • Fer. lun. • EP*

2 Santanassa
Dans ce bar-discothèque, étudiants et *drag queens* se côtoient. La musique est aussi éclectique que la clientèle. Déco, d'un certain mauvais goût, et statues érotiques qui donnent un ton kitsch. ✆ *C/Aribau 27 • Plan D3*

3 El Otro
Ce lieu hyper design attire les jeunes branchés. Des expositions s'y tiennent régulièrement. Un bon endroit pour papoter, car la musique n'est pas trop forte. ✆ *C/ València 166 • Plan D2 • Fer. lun.*

4 Nick Havanna
Un classique des nuits barcelonaises, très branché et fréquenté par les yuppies. Ne manquez pas les toilettes et le bar en peau de vache. ✆ *C/Rosselló 208 • Plan E2 • Fer. lun.*

5 Velvet
Cet immense bar-discothèque est très populaire. La déco est somptueuse et le programme musical va d'Elvis à Abba. ✆ *C/Balmes 161 • Plan E2 • EP*

6 Luz de Gas
Moitié salle de concert, moitié bar, une adresse classique quand la soirée est déjà bien avancée. Tous les soirs, concerts de blues, de jazz ou de soul. ✆ *C/Muntaner 246 • Plan D1 • Fer. dim.*

7 Ideal
Ce luxueux bar à cocktails a été ouvert dans les années 1950 par le légendaire barman José María Gotarda. Aujourd'hui, son fils tient le bar et vous propose plus de 80 sortes de whiskies. ✆ *C/Aribau 89 • Plan D2 • Fer. dim.*

8 La Bodegueta
Cette *bodega* en sous-sol sert de point de ralliement à bien des soirées. Les anchois y sont délicieux. ✆ *Rambla de Catalunya 100 • Plan E2*

9 Medusa
Une des meilleures adresses du Gayxample – réservée aux gays – très raffinée et ultra-branchée. La *house* est excellente. ✆ *C/Casanova 75 • Plan D3 • Fer. lun.*

10 La Boîte
Ambiance chaleureuse et très bons concerts. Ensuite, on danse. Une institution. ✆ *Av. Diagonal 477 • Plan D1 • EP*

➠ *Vie nocturne, les meilleures adresses* p. 46-47

Gauche **Laie Llibreria Cafè** Droite **Pâtisseries dans un café de la Rambla de Catalunya**

Cafés

1 Laie Llibreria Cafè
Ce café très animé tient à la disposition de ses clients la presse étrangère. La terrasse est très agréable, et le menu excellent. Un orchestre de jazz joue le mardi (fév.-avr.). ◉ C/Pau Claris 85 • Plan E3 • Fer. dim.

2 Cafè del Centre
Ce serait le plus vieux café du quartier… l'intérieur en bois sombre n'a pas changé depuis un siècle. Un lieu authentique et sans prétention, idéal pour prendre un café tranquillement. ◉ C/Girona 69 • Plan F3 • Ferme à 21h.

3 Cafè Alfonso
Ce café a été fondé en 1929. C'est la meilleure adresse de la ville pour manger du *pernil* (jambon de Serrano). ◉ C/Roger de Llúria 6 • Plan F3 • Fer. sam.-dim.

4 La Botiga del Te i Cafè
Le spécialiste du thé et du café avec plus de 50 variétés. ◉ Pl. Dr Letameni 30-33 • Plan E2 • Fer. dim.

5 La Table du Pain
Une excellente adresse pour un petit déjeuner bon marché, avec de délicieux *muffins* et gâteaux servis avec de la confiture maison et du beurre. ◉ Ronda Universitat 20 • Plan E3 • Fer. dim. après-midi

6 Bar Paris
La terrasse ensoleillée de ce bar est toujours pleine d'étudiants. Ouvert dès 6 h, c'est le refuge des fêtards peu pressés de rentrer. ◉ C/Paris 187 • Plan D1 • Fer. dim.

7 Hotel Ritz
Le Ritz de Barcelone occupe un bâtiment moderniste. Le jardin d'hiver est idéal pour le petit déjeuner et le grand salon parfait pour le thé de l'après-midi. Mais le luxe a un prix… ◉ Gran Via de les Cortes Catalanes 668 • Plan F3 • DA

8 Bauma
Une clientèle hétérogène vient ici lire le journal ou fumer un havane avec un *carajillo (p.43)*. Les autres cafés sont également excellents. ◉ C/Roger de Llúria 124 • Plan F2 • Fer. sam.

9 Mantequería Ravell
Ce traiteur sert d'incroyables petits déjeuners sur une grande table commune. Essayez les œufs au foie gras. Vins, fromages et jambons de tradition sont aussi en vente. ◉ C/Aragó 313 • Plan F2 • Fer. lun. et après 20h

10 Tragabar
Cet endroit qui vient d'ouvrir est déjà une des adresses les plus chic de Barcelone. On y sert aussi bien des cafés que des tapas. ◉ Ptge de la Concepció 5 • Plan E2

Catégories de prix

Pour un repas avec entrée, plat et dessert, une demi-bouteille de vin, taxes et service compris.	**€** Jusqu'à 10 €
	€€ De 10 à 20 €
	€€€ De 20 à 30 €
	€€€€ Plus de 30 €

Table d'un restaurant de l'Eixample

ᴛᴏᴘ10 Restaurants et bars à tapas

1 Tragaluz
Les trois étages ont été décorés par la star du design Javier Mariscal. Le gotha barcelonais y vient pour savourer une cuisine méditerranéenne imaginative. ◈ Ptge de la Concepció 5 • Plan E2 • 93 487 01 96 • €€€

2 La Semproniana
Installé dans une ancienne imprimerie, ce restaurant propose les plats traditionnels catalans dans une version « nouvelle cuisine ». Essayez les lasagnes au boudin. ◈ C/Rosselló 148 • Plan E2 • 93 453 18 20 • €€€

3 Miranda
Le premier restaurant gay de Barcelone. Ici, on vient plus pour les shows déjantés des *drag queens* que pour la cuisine. Bon marché. ◈ C/Casanova 30 • Plan D3 • 93 453 52 49 • Fer. midi • €€

4 L'Olivé
Une excellente cuisine régionale à des prix raisonnables. Ce serait la meilleure adresse pour manger du pied de cochon, une spécialité catalane. La salade de fèves à la menthe est délicieuse. ◈ C/Muntaner 171 • Plan D2 • 934 52 19 90 • Fer. dim. • €€

5 El Japonés
Attablée à des tables communes, la clientèle branchée se régale ici de *sushi*, *sashimi* et *tempura*, dans un brouhaha permanent. ◈ Ptge de la Concepció 2 • Plan E2 • 93 487 25 92 • €€€

6 Casa Calvet
Une cuisine catalane très moderne, de bons vins et un espace signé Gaudí. ◈ C/Casp 48 • Plan F3 • 93 412 40 12 • Fer. dim. • €€€€

7 La Flauta
On propose ici des dizaines de variétées de *flautas* (fines baguettes). Pour manger à petit prix et à n'importe quelle heure. ◈ C/Aribau 23 • Plan D3 • 93 323 70 38 • Fer. dim. • N'accepte pas les cartes de paiement • €

8 Qu Qu
On vient dans ce bar pour les tapas, surtout les croquettes aux trois fromages. ◈ Pg de Gràcia 24 • Plan E3 • 93 317 45 12 • N'accepte pas les cartes de paiement • €

9 Fuse
Dînez nippo-méditerranéen, puis danse sur fond de techno. Clientèle jeune. ◈ C/Roger de Llúria 40 • Plan F3 • 93 301 74 99 • Fer. dim. • N'accepte pas les cartes de paiement • €€

10 La Principal
Déco orientale, immense terrasse et « nouvelle cuisine » méditerranéenne. ◈ C/Provença 286 • Plan E2 • 93 272 0845 • €€€€

Sauf indication contraire, tous les restaurants acceptent les cartes de paiement. Informations sur la cuisine et les restaurants **p. 138**

Gauche **Cloître du Monestir de Pedralbes** Droite **Façade du Monestir de Pedralbes**

Zona Alta, Tibidabo et Gràcia

L a Zona Alta, comme son nom l'indique, occupe les hauteurs de la ville. Des rues aisées du Tibidabo et de Pedralbes au Gràcia bohême, toute la partie nord de Barcelone offre des vues splendides sur la ville et ses environs mais surtout la plus grande étendue de verdure : 15 parcs dont le Parc Güell, fantastique création de Gaudí, et l'immense parc naturel de Collserola qui revêt d'un tapis vert la colline du Tibidabo. Le quartier de Gràcia est certainement le plus cosmopolite de la ville. Ancien quartier anarchiste autrefois habité par les ouvriers et les gitans, il attire aujourd'hui écrivains, artistes et intellectuels. Ses petites places bordées de bars et de boutiques originales fourmillent d'activité, surtout le soir.

Parc d'attraccions del Tibidabo

TOP 10 Les sites

1. Parc d'Atraccions del Tibidabo
2. Monestir de Pedralbes et Colleció Thyssen-Bornemisza
3. Torre de Collserola
4. Museu del FC Barcelona et Stade de Camp Nou
5. Palau Reial de Pedralbes
6. Parc Güell
7. Temple Expiatori del Sagrat Cor
8. Parc de Collserola
9. Tramvia Blau
10. Jardins del Laberint d'Horta

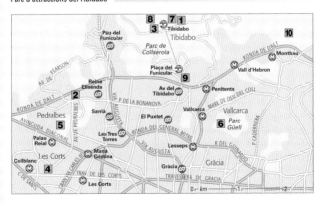

La meilleure façon de découvrir la Zona Alta est d'emprunter le Bus Turístic p. 133

Collecció Thyssen-Bornemisza

Parc d'Atraccions del Tibidabo

Ce parc d'attractions, ouvert en 1908, a presque le même âge que le funiculaire qui vous emmènera au sommet du Tibidabo. Ses anciennes attractions, en parfait état de conservation, ont gardé tout leur charme, notamment la grande roue et le carrousel. Les amateurs de sensations fortes opteront pour les nouvelles attractions qui « décoiffent »... et retournent l'estomac ! Ne manquez pas de visiter le Museu dels Autòmates *(p. 41)* où, en plus de la collection de jouets mécaniques, on peut voir une maquette du parc. ◈ *Pl. de Tibidabo • Plan B1• Horaires au 93 211 79 42 • EP • AH*

Monestir de Pedralbes et Collecció Thyssen-Bornemisza

Fondé par la reine Elisenda de Montcada au début du XIVᵉ s., ce très beau monastère gothique tient son nom du lieu sur lequel il a été construit : *petras albas*, « pierres blanches » en latin. Les cuisines et la pharmacie donnent un aperçu de la vie des nonnes au Moyen Âge. Le cloître à trois niveaux est magnifique. Un ancien dortoir abrite aujourd'hui la Collecció Thyssen-Bornemisza qui comprend des œuvres majeures de Velázquez, Rubens et Canaletto. ◈ *C/Baixada Monestir 9 • Plan A1 • Ouv. mar.-dim. 10h-14h • EP • AH*

Torre de Collserola

La tour de télévision dessinée par l'architecte britannique Norman Foster est visible de toute la ville. La partie supérieure, qui ressemble à une aiguille, est maintenue par 12 câbles d'acier et repose sur une colonne de béton. À l'extérieur, un ascenseur vitré monte jusqu'à la plate-forme panoramique, au dernier étage (560 m au-dessus de la mer). Par temps clair, on peut voir

Torre de Collserola

Montserrat et les Pyrénées. ◈ *Parc de Collserola • Plan B1 • Ouv. mer.-ven. 11h-14h30 et 15h30-20h, sam.-dim. 11h-20h (11h-18h oct.-mars, 11h-19h avr.-mai) • EP • AH*

Museu del FC Barcelona et stade de Camp Nou

Le musée le plus visité de Barcelone est incontournable pour tous les amoureux du ballon rond. L'histoire du célèbre club y est retracée à travers des objets très divers : chaussures portés par les joueurs lors de victoires ou affiches de match. On peut aussi voir des œuvres offertes au club par des artistes catalans. Le billet pour le musée comprend l'entrée au stade du FC Barcelona, le Camp Nou (120 000 places), monument à la gloire de l'éternelle passion barcelonaise... ◈ *Entrée 9, Av. Aristides Maillol • Plan A2 • Ouv. lun.-sam. 10h-18h30 et dim. 10h-14h • EP*

Gràcia

Le village de Gràcia a été absorbé par Barcelone en 1898. Devenu un quartier ouvrier, Gràcia joue un rôle important dans les mouvements ouvriers et anarchistes de la fin du xix° s. Aujourd'hui, le quartier a conservé un esprit d'indépendance et de nombreux artisans y sont toujours installés. Surtout, ne manquez pas la grande fête (p. 64) organisée chaque année la 2° semaine d'août.

5 Palau Reial de Pedralbes

Ce majestueux palais est l'ancienne résidence principale du comte Eusebi Güell. En 1919, il en fit don à la famille royale. Ouvert au public depuis 1937, le Palau Reial de Pedralbes abrite le Museu de Ceràmica et le Museu de les Arts Decoratives. Le premier possède une belle collection de céramiques catalane et mauresque, ainsi que des pièces réalisées par Picasso et Miró. Dans le second, on peut voir du mobilier et des objets du Moyen Âge à nos jours. Les jardins du palais sont splendides et abritent une fontaine dessinée par Gaudí. ◉ Av. Diagonal 686 • Plan A2 • Ouv. mar.-sam. 10h-18h et dim. 10h-15h • EP

6 Parc Güell

Cette folie architecturale signée Gaudí est inscrite au

Vue depuis le Temple Expiatori del Sagrat Cor

Patrimoine mondial de l'Unesco depuis 1984. Issu d'un projet de ville-jardin (p. 56), le parc comprend deux pavillons féeriques, des galeries, un immense banc ondulant et la forêt de colonnes de la Salà Hipóstila qui devait être le marché couvert. Remarquez les décorations en trencadís (p. 11). La maison dans laquelle l'architecte a habité 20 ans est aujourd'hui un musée consacré à son œuvre, la Casa-Museu Gaudí. ◉ C/d'Olot • Plan B2 • Ouv. t.l.j. 10h-crépuscule • EP ◉ Casa-Museu Gaudí • Plan B2 • Ouv. oct.-avr. t.l.j. 10h-14h, mai-sept. t.l.j. 16h-19h • EG

Museu de Ceràmica, Palau Reial

7 Temple Expiatori del Sagrat Cor

Construite entre 1902 et 1911 par Enric Sagnier, cette église est surmontée d'un immense Christ. Située au sommet du Tibidabo, elle est visible de tout Barcelone. Remarquez les décorations de la porte d'entrée, psychédéliques avant l'heure ! Pour une vue fabuleuse, prenez l'ascenseur de la tour ou grimpez les escaliers de la terrasse. ◉ Pl. del Tibidabo • Plan B1 • Ouv. t.l.j. 10h-20h (ascenseur t.l.j. 10h-14h et 15h-19h) • EP

8 Parc de Collserola

Derrière la colline du Tibidabo, s'étendent 6 500 hectares de forêt sillonnés de sentiers.

Jardins del Laberint d'Horta

Ce parc naturel est idéal pour randonner à pied ou à vélo *(p. 59)*. Tous les sentiers sont balisés.
◈ *Centre d'information, Carretera de l'Església 92 • Plan B1*

9 Tramvia Blau
La montée au Tibidabo dans les vieux tramways bleus est un voyage en soi : l'intérieur est resté en bois et le chauffeur actionne toujours une cloche à la main. La ligne part de l'arrêt FGC Avinguda del Tibidabo et remonte toute l'avenue en passant devant les immeubles modernistes. La Plaça Doctor Andreu est le terminus.
◈ *Av. Tibidabo • Plan B1 • Un départ toutes les 15 min. 7h50-21h35 • EP*

10 Jardins del Laberint d'Horta
Ces jardins néoclassiques dessinés par l'Italien Domenico Bagotti comprennent un lac, une cascade, des canaux et un labyrinthe de cyprès récemment rénové. ◈ *C/German Desvalls • Plan C1 • Ouv. t.l.j. 10h-crépuscule • EG mer. et dim. ; EP les autres jours*

Museu de les Arts Decoratives, Palau Reial

Sur les hauteurs

Le matin

🕐 Suivre l'itinéraire nord du Bus Touristic *(p. 133)* est le moyen le plus facile pour explorer la partie nord de Barcelone, très étendue. Le billet de bus donne droit à des réductions sur l'entrée des sites les plus importants. Démarrez Plaça de Catalunya (les billets sont en vente dans le bus) et montez sur l'impériale pour profiter pleinement du paysage. Ne manquez pas les merveilles modernistes lorsque vous passerez Pg de Gràcia. Arrêtez-vous au **Parc Güell** et passez le reste de la matinée à vous promener dans ce parc féerique, la fantaisie de Gaudí vous séduira sans aucun doute. Reprenez le bus en direction du nord et descendez au bout de l'Av. del Tibidabo. Faites encore 500 m à pied et

🍴 goûtez aux délices de la cuisine castillane dans le jardin d'**El Asador d'Aranda** *(p. 117)*.

L'après-midi

Reprenez l'Av. del Tibidabo et marchez jusqu'à la Plaça Doctor Andreu, point de départ du funiculaire. Une fois Plaça del Tibidabo, faites un tour au **Parc d'Attractions** *(p. 111)*, puis dirigez-vous vers l'incontournable **Torre de Collserola** *(p. 111)*. Prenez l'ascenseur en verre pour la plate-forme panoramique et profitez de la vue. Retournez Plaça Doctor Andreu par le

🍹 funiculaire et offrez-vous un *granissat (p. 43)* à l'une des terrasses. Descendez l'Av. del Tibidabo par le vieux **Tramvia Blau** et regagnez le centre avec le Bus Touristic.

Visiter Barcelone – Zona Alta, Tibidabo et Gràcia

➡️ *Les parcs* **p. 56-57**

Visiter Barcelone – Zona Alta, Tibidabo et Gràcia

Gauche **Accessoires, Do Bella** Droite **Vêtements, Modart**

10 Gràcia : Boutiques

1 Naftalina
La déco intérieure de cette boutique est très belle, un cadre parfait pour le prêt-à-porter féminin qui y est vendu. Les vêtements, sobres et élégants, sont réalisés artisanalement dans de magnifiques tissus. ✎ C/La Perla 33

2 Ninas
Nina, une jeune styliste américaine, vend des vêtements féminins simples et modernes, coupés dans de beaux tissus. La boutique et l'atelier, situé juste derrière, occupent une ancienne boucherie dans un splendide édifice moderniste. ✎ C/Verdi 39

3 Modart
Cette boutique simple et sans prétention a été une des premières à s'installer dans le quartier. Une très belle sélection de vêtements, notamment les créations de jeunes stylistes. ✎ C/Astúries 34 • AH

4 Do Bella
Vous ne trouverez nulle part ailleurs les sacs écossais miniatures de ce spécialiste du sac à main. Des accessoires et des bijoux sont également fabriqués sur place ✎ C/Astúries 39 • Sur rendez-vous seul. au 93 23 73 88

5 Multiart
Cet atelier fabrique et imprime à la main des tissus. On y vend aussi des draps et des vêtements pour homme et pour femme. Des stages de couture y sont organisés. ✎ C/Sant Joaquim 23

6 Verdi Tres
Cette petite boutique propose des créations originales pour femme : pull-overs tricotés main, écharpes et chapeaux… ✎ C/Verdi 3

7 Camiseria Pons
Ce spécialiste de la chemise pour homme est un des plus anciens installé dans le quartier. Un très grand choix de chemises de créateurs espagnols ou étrangers ; Ralph Lauren, entre autres, est proposé. ✎ Gran de Gràcia 79

8 Gina
Gina elle-même conçoit et réalise les vêtements pour femme vendus dans cette boutique petite et accueillante. Ses créations se distinguent par un stylisme très innovant, parfois presque punk. ✎ C/Verdi 10 • AH

9 El Piano
Ciblant les clientes un peu plus âgées, El Piano propose un beau choix : des vêtements de tous les jours, du très classe au nouveau chic hippy. ✎ C/Verdi 20

10 Zucca
Il y a trois boutiques Zucca à Barcelone. Ici, on trouve des accessoires ultra-branchés, des fleurs en plastique pour les cheveux aux anneaux de nombril. ✎ C/Torrent de l'Olla 175

 On peut acheter sur commande dans la plupart des boutiques de Gràcia.

Gauche **Enseigne du Café Salambó** Droite **Théières, Tetería Jazmin**

Top10 Gràcia : Cafés

1 Cafè del Sol
De tous les cafés de la Plaça del Sol, celui-là est le plus bohème, le plus chaleureux et le plus vivant. Le café y est excellent et servi rapidement. *Pl. del Sol 16*

2 Cafè Salambó
Ce beau café très tendance est absolument incontournable dans le quartier. Si vous avez un petit creux, les sandwichs et les salades sont délicieux. Billard à l'étage. *C/Torrijos 51 • Fer. dim.*

3 Tetería Jazmín
Des dizaines de thés différents… goûtez le thé à la menthe et aux pignons, un délice ! On peut aussi y manger des plats marocains : par exemple un tagine ou un couscous. *C/Maspons 11 • Fer. lun. et 2e semaine de sept.*

4 La Cafeteria
Les cafés ne manquent sur la Plaça de la Virreina. La Cafeteria est le plus agréable, avec sa terrasse et son petit patio plein de plantes. Idéal le matin, pour prendre le petit déjeuner. *Pl. de la Virreina*

5 Aroma
L'arôme du café fraîchement moulu emplit cet établissement aux murs couleur crème et aux poutres apparentes. Des dizaines de cafés, à déguster sur place ou à emporter. *Travessera de Gràcia 151 • AH*

6 Miria
La minuscule Plaça de Ruis i Taulet compte quatre terrasses. Celle du Miria est la plus agréable et la *caipirinha* y est excellente. *Pl. Rius i Taulet 11 • AH • Fer. lun.*

7 Blues Cafè
Ici, la lumière est tamisée, l'ambiance rétro et les murs sont tapissés de photos en noir et blanc des stars du blues, de John Lee Hooker à Leadbelly. On peut y écouter en électrique ou en acoustique du blues… et encore du blues ! *C/Perla 35 • Fer. dim.*

8 Cafè del Teatre
Ce café à la fois très animé et très cool est l'endroit idéal pour faire de sympathiques rencontres… et bavarder des heures durant. Le seul rapport avec le théâtre semble être le rideau de velours dessiné sur la porte. *C/Torrijos 43*

9 Cafè de Gràcia
Un grand espace, des murs roses, des miroirs et un service plus formel que dans la plupart des bars du quartier. Une adresse parfaite pour prendre un café rapidement et au calme. *C/Gran de Gràcia 34*

10 Sureny
Ce nouveau venu dans le quartier est un lieu très simple et très classe. Large choix de tapas et de vins au verre. *Pl. Revolució 17 • Fer. lun. • AH*

Gauche **À l'intérieur du Mirasol** Droite **Vie nocturne sur la Plaça del Sol, Gràcia**

⁺⁰⁰10 Bars branchés

1 Mirasol
Un grand classique du quartier, rendez-vous de la bohème depuis des décennies. Terrasse sur la place en été. ✎ *Pl. del Sol 3 • Fer. dim. • AH*

2 Universal
Ici, la clientèle est très soucieuse de son image et arrive plutôt en deuxième partie de soirée (l'Universal est ouvert jusqu'à 4 h 30) pour flirter et danser sur fond de *house* (à l'étage) ou d'acid jazz (en bas). Un lieu très spacieux où ont parfois lieu des concerts. ✎ *C/Marià Cubi 182 • Fer. dim.*

3 Mirablau
Un bar très classe fréquenté par une clientèle un peu plus âgée et aisée qui vient siroter un cocktail en profitant de la vue fantastique sur Barcelone. ✎ *Pl. Dr Andreu*

4 Virreina Bar
Petites expositions d'artistes locaux, bières d'importation et une ambiance chaleureuse sont les attraits de cette vieille cave, très bien située. ✎ *Pl. de la Virreina 1*

5 Casa Quimet
La « maison de la Guitare » est toujours bondée et bruyante. Ceux qui savent jouer pourront rejoindre les passionnés de flamenco, voire prendre une guitare pendue au mur et improviser. À découvrir. ✎ *C/Rambla de Prat 9 • Fer. lun. et fév.*

6 Zigzag
Un des premiers bars dont la déco a été signée par un designer… le résultat est un peu froid. Heureusement, il y a les clients : bonne atmosphère et embouteillages pour atteindre la piste de danse. ✎ *C/Plató 13*

7 Otto Zutz
Le monde des médias afflue dans ce club de style new-yorkais pour bavarder, jouer au billard, ou danser sur de la techno. ✎ *C/Lincoln 15 • Fer. dim.-mar.*

8 Mond Bar
Une des adresses les plus branchées de Barcelone : canapés, lumières tamisées, et pour la musique : pop, *lounge* et trip-hop mixés par les meilleurs DJs. ✎ *Pl. del Sol 21 • Fer. dim.*

9 Mirabé
Le Mirablaue et le Mirabé appartiennent au même propriétaire. Le Mirabé attire pour son incroyable vue sur la ville, son jardin en contrebas, son immense piste de danse et la programmation musicale pop. La clientèle est un peu plus jeune qu'au Mirablau. ✎ *C/Manuel Arnús 2.*

10 Bikini
Ouvert à partir de minuit, cet immense espace comprend un bar, une salle de concert et une piste où l'on danse sur des sons *latinos*. Concerts réguliers des meilleurs jeunes groupes européens. ✎ *C/Deu i Mata 105*

Visiter Barcelone – Zona Alta, Tibidabo et Gràcia

Catégories de prix

Pour un repas avec	€	Jusqu'à 10 €
entrée, plat et dessert,	€€	De 10 à 20 €
une demi-bouteille de vin,	€€€	De 20 à 30 €
taxes et service compris.	€€€€	Plus de 30 €

Intérieur du Flash Flash

ᵀᴼᴾ10 Restaurants et bars à tapas

1 El Asador d'Aranda
Ce restaurant est installé dans la Casa Roviltara, une demeure moderniste avec un magnifique jardin. Il est très fréquenté pour les déjeuners d'affaires. Ne manquez pas la spécialité du chef : l'agneau de lait cuit au bois de chêne. ◈ *Av. Tibidabo 31* • *93 417 0115* • *€€€*

2 Bar-Restaurante Can Tomàs
Situé dans le quartier de Sarrià, ce bar à tapas a la réputation, bien méritée, d'être un des meilleurs de la ville. Les *patates braves* sont la spécialité de la maison. ◈ *C/Major de Sarrià 49* • *93 203 10 77* • *Fer. mer.* • *N'accepte pas les cartes de paiement* • *€*

3 Acontraluz
Ce restaurant sert une cuisine méditerranéenne simple mais innovante. Le jardin est très agréable. ◈ *C/Milanisat 19* • *93 203 06 58* • *AH* • *€€*

4 Neichel
Un intérieur magnifique et une carte « nouvelle cuisine » attirent ici une clientèle aisée. ◈ *C/Beltran y Rozpide 1* • *93 203 84 08* • *Fer. dim.-lun.* • *€€€€*

5 Taverna El Glop
Ce bistrot de quartier sert des plats catalans traditionnels. Goûtez leurs légendaires *calçots*, d'énormes oignons cuits au feu de bois et accompagnés d'une sauce tomate épicée. ◈ *C/St Lluis 24* • *93 213 70 58* • *€€*

6 Can Punyetes
La simplicité est un délice dans ce restaurant catalan typique : pain campagnard avec un filet d'huile d'olive, *mel i mató* (fromage de chèvre au miel)… tout est exquis. ◈ *C/Marià Cubí 189* • *93 217 79 46* • *€€*

7 Flash Flash
Ici on ne sert que des *truites* (omelettes), classiques ou inventives. Les propriétaires assurent avoir cassé 5 millions d'œufs en 30 ans ! ◈ *C/Granada de Penedès 25* • *93 237 09 90* • *AH* • *€€*

8 La Balsa
Dans le quartier paisible de Bonanova, La Balsa est un joli endroit disposant de deux jardins-terrasses. La carte offre de bons plats basques, catalans et d'autres spécialités du Sud. ◈ *C/Infanta Isabel 4* • *93 211 50 48* • *Fer. dim. et lun. midi* • *€€-€€€*

9 La Venta
Prenez le tramway jusqu'au sommet du Tibidabo pour profiter de la terrasse et surtout de la cuisine catalane avec une bouteille de Rioja. ◈ *Pl. Dr Andreu* • *93 212 64 55* • *Fer. dim.* • *€€€-€€€€*

10 Botafumeiro
Ce restaurant est spécialisé dans les poissons et fruits de mer. Dans les aquariums, crabes et homards attendent de passer à la casserole. Réservation indispensable. ◈ *C/Gran de Gràcia 81* • *93 218 4230* • *AH* • *€€€€*

Visiter Barcelone – Zona Alta, Tibidabo et Gràcia

Sauf indication contraire, tous les restaurants acceptent les cartes de paiement. Informations sur la cuisine et les restaurants **p. 138**

117

Gauche **Monestir de Santes Creus** Droite **Cadaqués**

Les environs de Barcelone

*L*a Catalogne est une région à l'identité bien affirmée, tant par ses
traditions et sa langue que par sa géographie et son patrimoine culturel.
*Les Pyrénées, au nord, culminent à 3 000 m. Côté littoral, la célèbre Costa
Brava (« côte sauvage »), qui s'étend de la frontière française à Barcelone,
abrite des petites criques aux eaux cristallines et, au-delà, la Costa Daurada
est bordée de longues plages de sable. À ces merveilles naturelles,
s'ajoutent des trésors artistiques : la Catalogne abrite nombre d'églises
et de monastères, souvent cachés au beau milieu des montagnes. La cuisine
catalane, qui mêle produits de la mer et de la montagne, comblera tous
les goûts, et ne manquez pas le cava, le champagne catalan.*

Teatre-Museu Dalí

🔟 Les sites

1 Montserrat	**6** Tarragona
2 Teatre-Museu Dalí, Figueres	**7** Girona
3 Vall de Núria	**8** Empúries
4 Alt Penedès	**9** Port Aventura
5 Begur et ses environs	**10** La Costa Daurada et Sitges

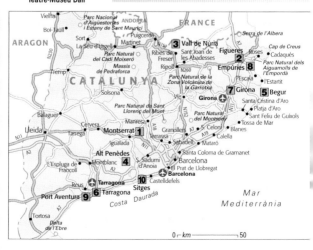

Informations sur les transports en Catalogne **p. 132**

1 Montserrat

Les parois abruptes de la montagne de Montserrat se dressent au-dessus d'un monastère bénédictin. Fondé en 1025, le monastère a été très endommagé en 1811 durant la guerre d'Indépendance et reconstruit 30 ans plus tard. C'est un lieu de pèlerinage, car sa basilique renferme

Basilique, Monestir de Montserrat

la *Moreneta* ou Vierge noire, devenue la patronne de la Catalogne. Selon la légende, cette petite statue remonterait à l'an 50, mais les scientifiques estiment qu'elle date du XIIᵉ s. La montagne de Montserrat est aussi l'occasion de faire de belles randonnées : de nombreux sentiers longent des gorges spectaculaires et mènent à des ermitages. Pour vous rendre au monastère, prenez le téléphérique.
🔍 *Informations touristiques, Pl. de la Creu* • 93 87 77 701

2 Teatre-Museu Dalí, Figueres

Salvador Dalí est né à Figueres en 1904. Il a aménagé lui-même l'ancien théâtre de la ville en un musée consacré à son œuvre. Le Teatre-Museu Dalí offre un aperçu unique du génie créatif de l'artiste, de *La Cesta de Pan* (1926) à *El Torero Alucinogeno* (1970). C'est aujourd'hui le musée le plus visité en Espagne après le Prado à Madrid. Restez dans les pas du surréaliste en allant à Cadaqués où Dalí, pendant près de 60 ans et jusqu'à sa mort en 1989, passa tous ses étés. On peut y visiter sa résidence, la Casa-Museu Salvador Dalí. Cadaquès est à 20 min de voiture de Figueres.
🔍 *Teatre-Museu Dalí, Pl. Gala-Salvador Dalí, Figueres*
• 972 67 75 09 • *Ouv. oct.-avr. mar.-dim. 10h30-17h15 ; mai-sept. t.l.j. 9h-19h15* • EP 🔍 *Casa-Museu Salvador Dalí, Port Lligat* • 972 25 10 15
• *Vi. gui. mar.-dim., sur réservation* • EP

3 Vall de Núria

Entourée de sommets (jusqu'à 3 000 m), Núria est une station de ski et, l'été, on peut y faire de nombreuses randonnées dans une nature monumentale. Dans ce petit village, construit autour d'un sanctuaire, vous trouverez une auberge de jeunesse et quelques appartement à louer. Un seul moyen pour se rendre dans cette belle vallée : le train à crémaillère qui grimpe sans bruit dans ce beau paysage.
🔍 *Informations touristiques à la gare ferroviaire de Vall de Núria* • *Trains au départ de Ribes de Freser, 10 km au Nord de Ripoll* • 972 73 20 20

Taxi pluvieux, **Teatre-Museu Dalí**

 Depuis Barcelone, la plupart des sites sont accessibles en moins de 3h de voiture.

Les environs de Barcelone

4 Alt Penedès

La Penedès est la région vinicole la plus connue de Catalogne. C'est ici qu'est produit le *cava*, dont les marques les plus célèbres sont Cordoníu et Freixenet. De nombreuses caves sont ouvertes au public, mais la plus spectaculaire est celle de Cordoníu qui possède 26 km de celliers sur cinq niveaux et a été dessinée par l'architecte moderniste Puig i Cadalfach. ◎ C/Cort 14, Vilafranca del Penedès • 93 892 03 58 • Informations touristiques et détails sur la visite des caves, dont celle de Cordoníu

5 Begúr et ses environs

Ce village de la Costa Brava est situé au sommet d'une colline. Son château du XIV° s., en ruine, surplombe la mer et la réserve naturelle d'Aiguamolla. L'été, la population du village quadruple. Begur est en effet une base parfaite pour explorer les plages et les belles criques sauvages de la côte, peut-être la plus belle de Catalogne. L'été, des concerts de jazz ont lieu sur toutes les plages de la région. ◎ Informations touristiques, Av. Onze de Septembre 5 • 972 62 45 20

6 Tarragona

Quand on arrive à Tarragona, on passe d'abord par les raffineries de pétrole et l'immense port industriel. Rien ne laisse deviner l'extraordinaire trésor archéologique de la ville. Ancienne capitale de la Catalogne romaine, Tarragona a conservé de nombreux vestiges de cette époque. Les plus intéressants sont l'amphithéâtre, très bien conservé, et la Torre de Pilatos où,

Riu Onyar, Girona

dit-on, les Chrétiens attendaient d'être livrés aux lions. Le Museu Nacional Arqueològic complètera cet itinéraire romain. La Catedral de Santa Tecla *(p. 124)* mérite aussi une visite. ◎ Informations touristiques, Rambla de la Llibertat • 977 24 52 03

7 Girona

Girona est une belle ville entourée de collines verdoyantes. C'est ici que le niveau de vie serait le plus élevé en Catalogne. Au cœur de la vieille ville, l'ancien quartier juif, El Call, est un des ensembles médiévaux les mieux conservés d'Europe. La cathédrale *(p. 124)* est une merveille à ne pas manquer. ◎ Informations touristiques, Rambla de la Llibertat • 972 22 65 75

Codorníu *cava*

8 Empúries

Après Tarragone, Empúries est le deuxième site antique de Catalogne. Les ruines grecques et romaines s'étendent sur plus de 40 ha et forment au bord de la mer un ensemble impressionnant. Les vestiges d'une rue marchande, de plusieurs temples et une partie d'amphithéâtre romain sont les parties les plus intéressantes. À côté du site, se trouvent de belles plages… Une destination parfaite pour combiner culture et baignade.

🔍 *Empúries • Informations touristiques 972 77 02 08 • Ouv. juin-sept. t.l.j. 10h-20h, oct.-mai t.l.j. 10h-18h • EP*

9 Port Aventura

Le parc d'attractions des Studios Universal est divisé en cinq zones : la Chine, le Far West, la Méditerranée, la Polynésie et le Mexique. Chacune a ses propres attractions. Les amateurs de sensations fortes apprécieront Dragon Kahn (Chine), de très grandes montagnes russes. On peut aussi assister à des spectacles. 🔍 *Av. Peramoles, Villaseca, Tarragona • 977 77 90 00 • Ouv. mi-juin-mi-sept. t.l.j. 10h-minuit, téléphonez pour connaître les horaires hors saison • EP*

10 La Costa Daurada et Sitges

La Costa Daurada se distingue de la Costa Brava par ses longues plages de sable aux eaux peu profondes. Torredembarra est une station balnéaire familiale, très tranquille. Sitges est la perle de la côte. Fréquentée à la fois par la bonne société barcelonaise et par les gays du monde entier (*p. 49*), c'est une station cosmopolite à l'ambiance parfois frénétique.
🔍 *Informations touristiques, C/Sinia Morera • 938 94 42 51*

Front de mer, Sitges

La Catalogne en voiture

Le matin

🕐 Prenez l'autoroute A7 au départ de Barcelone jusqu'à la sortie 4, puis suivez la C260 en direction de Cadaqués. Comptez 2 h 30 de route environ. Juste avant Cadaqués, arrêtez-vous pour admirer la vue sur la mer et les maisons blanchies à la chaux de cet ancien village de pêcheurs. Une fois à **Cadaqués**, une des stations balnéaires les plus branchées de Catalogne, promenez-vous dans les jolies rues bordées de boutiques. Après un plongeon dans la mer et un café sur une terrasse, reprenez votre voiture et suivez la route qui part de Port Lligat vers le **Cap de Creus** (*p. 125*). Roulez pendant quelques kilomètres dans un paysage désolé avant d'arriver au promontoire rocheux et à son phare. Après une petite pause, faites demi-tour et prenez la route pour Port de la Selva. Elle tourne sans cesse, mais le paysage est exceptionnel.

L'après-midi

Faites halte au village de **Port de la Selva**, entouré de montagnes. Profitez d'être au bord de la mer pour manger un excellent repas de poisson à la Cala Herminda. Roulez jusqu'au village voisin, **Selva del Mar**, et prenez un café au Bar Stop. Montez ensuite au **Monestir San Pere de Rodes** (*p. 124*). Vous serez tenté de vous arrêter en chemin pour admirer la vue, mais c'est du monastère qu'on a le plus beau panorama. Si vous avez envie de vous dégourdir les jambes, suivez un des sentiers balisés, et ne manquez pas le coucher de soleil sur la baie.

◄ *Pages suivantes* **Cour intérieure du Monestir de Montserrat** 121

Gauche **Plafond de la salle capitulaire du Monestir de Santes Creus** Droite **Monestir de Poblet**

TOP 10 Églises et monastères

1 Monestir de Montserrat
Ce lieu de pèlerinage est le monastère le plus visité en Catalogne. Il abrite des œuvres d'art romanes et la Vierge noire, sainte patronne de la Catalogne. *p. 119.* ⊗ *Montserrat* • *93 877 77 77* • *EP* • *AH à la basilique*

2 Monestir del Poblet
Une communauté de moines cisterciens vit ici. Pour découvrir l'église romane et la chapelle gothique Sant Jordi, il faut passer par la Porta Daurada, une porte dorée en l'honneur de la visite de Philippe II en 1564. ⊗ *Sur la N 240, 10 km à l'O de Montblanc* • *977 870 254* • *EP*

3 Monestir de Ripoll
Fondé en 879, il a été en partie restauré au XIXᵉ s. De la première époque ne subsistent que le cloître et le portail. Celui-ci constitue le plus bel ensemble de sculptures romanes en Espagne. ⊗ *Ripoll* • *972 70 23 51* • *EP*

4 Monestir de Santes Creus
Le cloître de ce trésor gothique (1150) est remarquable pour ses chapiteaux sculptés par l'Anglais Reinard Funoll. ⊗ *Santes Creus, 25 km au NO de Montblanc* • *977 63 83 29* • *Fer. lun.* • *EP*

5 Monestir de San Pere de Rodes
Classé au patrimoine mondial de l'Unesco, ce lieu a perdu de son charme depuis qu'il a été rénové, mais il offre une vue splendide sur le Cap de Creus et Port de la Selva. ⊗ *22 km à l'E de Figueres* • *972 38 75 59* • *Fer. lun.* • *EP*

6 Sant Climent i Santa Maria de Taüll
Ces deux églises à clocher carré sont de beaux exemples des églises romanes des Pyrénées catalanes. La plupart des fresques (1123) qu'elles abritaient ont été déposées au MNAC de Barcelone *(p. 18-19).* ⊗ *1138 km au N de Lleida* • *973 60 60 44*

7 Catedral de La Seu d'Urgell
Élevée vers 1040 sur les ruines d'un temple wisigoth, cette cathédrale est une des plus belles de Catalogne. ⊗ *La Seu d'Urgell* • *973 35 15 11* • *EG* • *AH*

8 Catedral de Santa Maria
La cathédrale de Girona possède la nef gothique la plus large d'Europe. Elle est presque aussi large que celle de Saint-Pierre-de-Rome ! ⊗ *Girona, dans la vieille ville* • *972 21 44 26* • *EG*

9 Catedral de Santa Tecla
Longue de 104 m, la cathédrale de Tarragona, avec son clocher octogonal, mêle les styles roman et gothique. ⊗ *Tarragona, dans la vieille ville* • *977 23 86 85* • *EP*

10 Sant Joan de les Abadesses
Ce monastère pyrénéen de style roman français renferme une collection de sculptures romanes. ⊗ *Sant Joan de les Abadesses* • *972 72 05 99* • *EP*

Les monastères et les églises sont ouverts lun.-sam. 10h-13h et 15h-19h, dim. 10h-13h. Hors saison, il est préférable de téléphoner.

Les environs de Barcelone

Parc Natural de la Zona Volcànica de la Garrotxa

Top 10 Parcs nationaux et réserves

1 Parc Nacional d'Aigüestortes i Estany de Sant Maurici
Depuis le village d'Espot, vous pourrez explorer les pics et les lacs (à 2 000 m) de l'unique parc national de Catalogne.
◈ 148 km au N de Lleida

2 Delta de l'Ebre
Le delta de l'Ebre est une vaste zone de rizières et une réserve naturelle pour les oiseaux migrateurs. Elle est équipée de nombreux postes d'observation.
◈ 28 km au SE de Tortosa

3 Parc Natural de la Zona Volcànica de la Garrotxa
La zone volcanique de la Garrotxa a connu sa dernière éruption il y a 10 000 ans. Le plus grand cratère, le Santa Margalida (500 m de diamètre), devient féerique au printemps lorsque des milliers de papillons y prennent leur envol.
◈ 40 km au NO de Girona

4 Cap de Creus
À l'endroit où les Pyrénées plongent dans la mer, s'avance un promontoire rocheux long de 10 km, point le plus oriental de Catalogne. On y a une vue fabuleuse sur toute la côte.
◈ 36 km à l'E de Figueres

5 Parc Natural del Cadí-Moixeró
Cette chaîne montagneuse dont les pics dépassent les 2 000 m est couverte de chênes et de conifères. ◈ 20 km à l'E de la Seu d'Urgell

6 Parc Natural del Montseny
C'est le parc naturel le plus facilement accessible en Catalogne. De nombreux sentiers de randonnée pédestre ou à VTT sillonnent ses collines boisées. Le sentier du Turó de l'Home, le point le plus haut du parc, est bien balisé. ◈ 448 km au NO de Barcelone

7 Massis de Pedraforca
Ce grand massif montagneux est entouré d'une réserve naturelle. Beaucoup de grimpeurs entreprennent l'ascension de ses sommets (jusqu'à 2 500 m).
◈ 64 km au N de Manresa

8 Serra de l'Albera
À la frontière entre la France et l'Espagne, ne manquez pas les monts Albères et les ruines de cette région des Pyrénées orientales. ◈ 15 km au N de Figueres

9 Parc Natural dels Aiguamolls de l'Empordà
Au printemps, les observatoires de Laguna de Vilalt et de La Bassa de Gall Mari permettent d'observer la nidification des hérons et des poules d'eau, entre autres, dans cette réserve naturelle. ◈ 15 km à l'E de Figueres

10 Parc Natural de Sant Llorenç del Munt
Bien qu'entouré d'usines, ce parc naturel est sauvage et abrite des sangliers. Au sommet du Cerro de la Mola, vous verrez un monastère roman. ◈ 12 km à l'E de Manresa

Pour plus d'informations, consultez le site www.gencat.es/mediamb/pn/aparcs.htm ou appelez le Turisme de Catalunya au 93 238 40 00.

Raft, La Noguera Pallaresa

🔟 Activités de plein air

1 Kayak et raft
Pour faire du kayak et du raft, la Noguera Pallaresa est une des meilleures rivières, et la fonte des neiges, à la fin du printemps, le meilleur moment. ◈ *Yeti Emotions, Llavorsí, 14 km au N de Sort • 973 62 22 01*

2 Plongée sous-marine
La réserve naturelle des îles Medes abrite des milliers d'espèces animales et des coraux. Vous pourrez découvrir ces fonds marins en plongeant ou à bord d'un bateau à fond de verre. ◈ *Comorà Diving Center, Club Nàutic 10, L'Estartit • 972 45 28 45*

3 Sports nautiques et voile
Planche à voile, kayak de mer ou voilier à louer : tout est possible à Sitges. Les débutants pourront même prendre des cours. ◈ *Club de Mar Sitges, Pg Marítim, Sitges • 93 894 09 05 • www.sitges.com/clubdemar*

4 Ski
La Molina est la station la plus accessible depuis Barcelone, mais la jet-set préfère Baqueira-Beret. Les pistes ouvrent en décembre. Hors piste possible. ◈ *La Molina, 25 km au S de Puigcerdà • 972 89 00 53 • www.lamolina.com* ◈ *Baqueira-Beret, 14 km à l'E de Vielha • 973 63 90 10 • www.baqueira.es*

5 Golf
La Costa Brava est un des meilleurs endroits pour pratiquer le golf en Europe. Les meilleurs terrains se trouvent autour de Platja d'Aro. ◈ *Santa Cristina d'Aro • 972 83 71 50* ◈ *Platja d'Aro • 972 82 69 06*

6 Équitation
Le Parc Natural del Montseny *(p. 125)* compte de nombreux centres équestres. ◈ *Can Marc, 6 km à l'O de Sant Celoni • 938 47 51 02*

7 Vols en ballon
Le survol en ballon de la région volcanique d'Osona est une merveilleuse façon de découvrir la Catalogne. ◈ *Baló Tour, Vic • 93 889 44 43 • www.balo-tour.com*

8 Croisières
Embarquez pour une croisière au départ de Calella ou de Blanes à destination de Tossa de Mar pour visiter la vieille ville et le château. ◈ *Excursions Marítimas, Blanes • 972 33 59 98 • T.l.j., 1 départ toutes les heures depuis Blanes, 2 par jour depuis Calella*

9 Planche à voile, aviron et golf
Le Canal Olímpic utilisé pour les courses d'aviron lors des jeux Olympiques de 1992 est aujourd'hui une base de loisirs. ◈ *Canal Olímpic, Av. Canal Olímpic, Castelldefels • 93 636 2896*

10 Cueillette des champignons
De fin septembre à mi-octobre, les Catalans partent à la recherche du précieux *rovelló*. Procurez-vous un guide auprès de la Diputació de Barcelone, car des variétés sont dangereuses.

 Contactez la Diputació de Barcelona pour plus d'informations sur les activités en Catalogne ou consultez le site www.diba.es/turismetotal.

Catégories de prix

Pour un repas avec entrée, plat et dessert, une demi-bouteille de vin, taxes et service compris.	**€** Jusqu'à 10 € **€€** De 10 à 20 € **€€€** De 20 à 30 € **€€€€** Plus de 30 €

Anchois, Els Pescadors

⅒0 Restaurants

1 El Bulli
Il faut goûter au moins une fois dans sa vie l'extraordinaire cuisine du chef Ferran Adria, 3 étoiles au Michelin. ◊ *Cala de Montjoi, Roses • 972 150 457 • Fer. oct.-mars • Réservation indispensable • €€€€*

2 El Racó de Can Fabes
Dans ce restaurant coté 3 étoiles au Michelin, on sert une cuisine franco-catalane traditionnelle. ◊ *Sant Joan 6, Sant Celoni, Montseny • 93 867 28 51 • Fer. dim. soir et lun. • €€€€*

3 La Torre del Remei
Une cuisine catalane merveilleusement bien présentée dans un cadre tout aussi beau : un palais moderniste. Les plats de gibier sont délicieux. ◊ *Camí Reial, Bolvir, Cerdanya, 3 km au SO de Puigcerdà • 972 14 01 82 • €€€€*

4 El Mirador de les Caves
Ce restaurant occupe un château dominant la région viticole catalane. La cuisine traditionnelle est naturellement accompagnée de vins locaux, notamment de *cava.* ◊ *Els Casots, 4 km au S de Sant Sadurní d'Anoia • 93 899 31 78 • Fer. dim. soir et lun. • €€€€*

5 Fonda Europa
Ce restaurant traditionnel catalan ouvert il y a plus de 150 ans a été précurseur : depuis, de nombreux restaurants catalans ont ouvert. Les plats sont copieux. ◊ *Anselm Clavé 1, Granollers • 93 870 0312 • €€€–€€€€*

6 Mare Nostrum
Ce restaurant familial de poisson, doté d'une superbe terrasse, propose un menu avec paella et *sipia a la planxa* (seiche grillée). ◊ *93 894 3393 • Fer. mer. et 15 déc.-1ᵉʳ fév. • €€-€€€*

7 Parador en Aiguablava
Depuis ce restaurant, on a une vue superbe sur la crique d'Aiguablava. La cuisine est classique mais bonne, et le service fabuleux. C'est aussi un hôtel. ◊ *Cala Aiguablava, 4 km au S de Begúr • 972 62 21 62 • €-€€*

8 Els Pescadors
« Les Pêcheurs » est un restaurant traditionnel qui sert des spécialités locales. Les daurades et les anchois sont excellents. ◊ *Port d'en Perris 3, l'Escala • 972 77 07 28 • Fer. dim. soir (hiver), jeu. soir (été) et nov. • €€-€€€*

9 Cal Ros
Le plus vieux restaurant de Girona est l'un des plus fréquentés. Les champignons sauvages ajoutent une note originale aux plats traditionnels de viande. ◊ *Cort Reial 9, Girona • 972 21 73 79 • Fer. dim. soir et lun. • €€€*

10 Boix
Les gourmets se déplacent jusqu'à Boix, dans le Parc Natural del Cadí-Moixeró *(p. 125)*, pour savourer une cuisine authentique. Viandes et crustacés figurent à la carte. ◊ *Cadí-Moixeró, Martinet • 973 51 50 50 • €€€–€€€€*

 Sauf indication contraire, tous les restaurants acceptent les cartes de paiement. Informations sur la cuisine et les restaurants **p. 138**

MODE
D'EMPLOI

BARCELONE TOP 10

Gauche **À l'aéroport** Droite **Logo d'Iberia**

ᵀᴼᴾ10 Aller à Barcelone

En avion
1 Air France et Iberia proposent des vols réguliers au départ de plusieurs villes françaises. Les vols Spanair et Air Europa sont au départ de Paris. Depuis la Belgique, Iberia, Air France et Virgin Express proposent des vols directs. Barcelone est desservie depuis la Suisse par Iberia, SWISS et Air France. Du Québec, Air Canada et Air France assurent la liaison avec Barcelone. ✆ *Air France 901 11 22 66*
• *www.airfrance.fr* ✆ *Iberia 902 400 500* • *www.iberia. fr* ✆ *Spanair 902 13 14 15*
• *www.spanair.fr*
✆ *Air Europa 902 401 501*
• *www.air-europa.com*
✆ *Virgin Express 93 226 66 71*
• *www.virgin-express.com*
✆ *SWISS 901 116 712*
• *www.swiss.com*
✆ *Air Canada 93 218 88 82 ou 93 218 91 75*
• *www.aircanada.ca*

Vols à prix réduits
2 Pour trouver des vols bon marché, le mieux est de réserver tôt, sans être exigeant sur les dates, horaires, et escales ! Vous pouvez tenter votre chance sur les sites www. degriftour.com,www.anyway .com,www.go.voyages.com ou www.ebookers.fr

L'aéroport
3 L'aéroport est situé à Prat de Llobregat, 12 km au S de la ville.
✆ *93 298 38 38* • *www.aena. es/ae/bcn/homepage.html*

De l'aéroport à Barcelone
4 Le plus simple est de prendre la navette Aerobús (départ toutes les 15 min., terminus Plaça de Catalunya) qui marque plusieurs arrêts. Un train RENFE (départ toutes les 30 min.) dessert les stations Estació de Sants, Plaça de Catalunya, Arc de Triomf et El Clot-Aragó. Toutes ont une correspondance avec le métro. En taxi, comptez 18-20 €. ✆ *Aerobús 93 415 60 20* ✆ *RENFE 902 24 02 02 (24h/24)*

En train
5 L'Estació de França et l'Estació de Sants desservent l'Espagne et l'Europe. Ces deux gares sont équipées d'une consigne, d'un bureau de change et de distributeurs. La RENFE est la société nationale des chemins de fer.
✆ *Estació de França, Av. Marqués de l'Argentera • plan Q5* ✆ *Estació de Sants, Pl. dels Països Catalans • hors plan* ✆ *RENFE 902 24 02 02 (24h/24) www.renfe.es*

En bus
6 Les compagnies Eurolines et Linebús desservent Barcelone au départ de nombreuses villes européennes. Les bus arrivent soit à l'Estació del Nord, la gare routière principale, soit à l'Estació de Sants. ✆ *Estació del Nord, C/Alí Bei 80 • plan R2*

• *93 265 65 08* ✆ *Eurolines 93 490 40 00* • *Linebús 93 265 07 00.*

En voiture
7 Barcelone est située sur l'autoroute A7 qui traverse la frontière franco-espagnole et sur une nationale, gratuite.

De Barcelone au reste de l'Espagne
8 Il est facile de se rendre dans les autres villes espagnoles en train, en bus ou en avion. Iberia propose de nombreux vols intérieurs, notamment une navette entre Barcelone et Madrid (jusqu'à 30 vols par jour). Spanair et Air Europa desservent également les grandes villes espagnoles.
✆ *Spanair 902 13 14 15*
• *www.spanair.com*
✆ *Air Europa 902 401 501*
• *www.air-europa.com.*

Formalités
9 Pour les citoyens de l'UE, la carte d'identité en cours de validité suffit, ou un passeport, même périmé depuis moins de 5 ans. Les citoyens suisses et canadiens doivent avoir un passeport en cours de validité. Un visa est nécessaire pour un séjour de plus de 3 mois.

Quand y aller
10 Mai et octobre sont les deux meilleurs mois : vous évitez la foule des touristes et la chaleur, parfois caniculaire en juillet en août.

Gauche **Logo du métro** Centre **Taxi** Droite **Une peinture murale dans le métro**

¹⁰ Se déplacer

1 Métro
Le métro est simple, rapide, étendu et pratique. Le week-end, les 5 lignes fonctionnent jusqu'à 2 h. ✆ 93 318 70 74
• www.tmb.net • Lun.-jeu. 5h-minuit, ven.-sam. 5h-2h et dim. 6h-minuit

2 FGC
Les trains régionaux FGC (Ferrocarrils de la Generalitat de Catalunya) desservent le nord et l'ouest de la ville. Les FGC s'arrêtent dans les principales stations de métro. Les horaires et les tarifs sont les mêmes que pour le métro.
✆ 93 205 15 15
• www.fgc.catalunya.net
• Lun.-jeu. 5h-minuit, ven.-sam. 5h-2h et dim. 6h-minuit

3 Bus
Les bus couvrent toute la ville. La destination est indiquée à l'avant et les arrêts sont bien signalés. Pour des informations sur les itinéraires et les horaires, appelez le 010 ou vous procurez-vous le guide des transports en commun des offices de tourisme. ✆ 93 318 70 74
• www.tmb.net • Tl.j. 6h-22h

4 Bus de nuit
Il y a 15 lignes de Nitbús. La plupart passe par la Plaça de Catalunya. ✆ 93 318 70 74
• www.tmb.net

5 Tickets
Les tickets sont les mêmes pour le métro, les trains FGC, les bus et les Nitbús. Un ticket coûte 1 €. Si vous restez quelques jours, le plus intéressant est d'acheter un ticket T-10, valable pour 10 trajets. Il existe aussi des cartes permettant un nombre illimité de trajets, valables 3 ou 5 jours. Les tickets sont en vente dans toutes les stations de métro, aux guichets et dans les distributeurs.

6 Taxi
Les taxis, noir et jaune, sont facilement identifiables. Lorsque la lumière verte, sur le toit, est allumée, c'est que le taxi est libre. Pour les courtes distances, à deux, un taxi ne coûte pas plus cher que le métro. La prise en charge est facturée. ✆ Taxi Radio Móvil 93 358 11 11 ✆ Barna Taxi 93 357 77 55

7 À pied
Les quartiers de Barcelone sont très denses, en particulier la vieille ville et Gràcia : l'unique moyen de les découvrir est de marcher. Le front de mer, de Port Vell au Port Olímpic, est également très agréable pour se promener à pied. p. 58-59.

8 À vélo
Barcelone compte plus de 70 km de pistes cyclables. Vous pouvez vous procurez une carte des pistes auprès de l'office de tourisme ou des loueurs de vélos. Les environs du port, le Barri Gòtic et le Parc de la Ciutadella sont bien adaptés aux balades à vélo. Paticletos loue des vélos dans le Parc de la Ciutadella. ✆ Paticletos, Pg Picasso • 40 93 319 78 85

9 Handicapés
L'Aerobús (la navette de l'aéroport), la ligne 2 du métro, tous les Nitbús, et quelques bus et lignes de FGC sont accessibles aux personnes en fauteuil roulant. La compagnie Taxi Amic dispose de véhicules équipés mais il faut réserver par téléphone. Pour plus d'informations sur les transports accessibles aux personnes handicapées, appelez Informació Transport Adaptat. Pour des informations sur un itinéraire précis, appelez le 010 ou le TMB, le réseau des bus et métros barcelonais. ✆ Taxi Amic 93 420 80 88 ✆ Informació Transport ✆ Adaptat 93 486 07 52 ✆ TMB 93 318 70 74

10 Circuler en fauteuil roulant
L'Institut Municipal de Persones amb Diminució (p. 134) a établi une base de données recensant toutes les rues accessibles en fauteuil roulant. Appelez le 010, donnez votre point de départ et votre destination, et on vous indiquera l'itinéraire à suivre et les endroits accessibles sur le chemin.

Gauche **Un billet de train RENFE** Centre **Panneau routier** Droite **Logo de la RENFE**

10 Découvrir la Catalogne

En train

1 Barcelone est bien desservie par la RENFE (p. 130). La plupart des trains régionaux partent de l'Estació de Sants (p. 130) ou de l'Estació Passeig de Gràcia. Pour les horaires et les destinations, appelez la RENFE. ◈ *Estació Passeig de Gràcia • Pg de Gràcia • Plan E2 • 93 488 02 36* ◈ *RENFE 902 24 02 02*

En car

2 Les départs se font de la gare routière de l'Estació del Nord. Pour plus d'informations, appelez la gare routière. ◈ *Estació del Nord • C/Ali Bei 80 • Plan R2 • 93 26 56 50*

En voiture

3 Pour explorer les Pyrénées et l'arrière-pays, il est indispensable d'avoir une voiture. Vous trouverez les grandes agences de location au Terminal B de l'aéroport. Pour une voiture de catégorie moyenne, comptez entre 240 € et 420 € la semaine. Souvent, il est moins cher de réserver une voiture avant de partir. Pour louer un véhicule, vous devez avoir plus de 25 ans, un permis de conduire valide, une carte de crédit et un passeport. ◈ *Avis 93 298 36 00 • www.avis.com* ◈ *Budget 93 298 35 00 • www.budget.com* ◈ *Hertz 93 298 36 39 • www.hertz.com.*

En VTT

4 Les Pyrénées sont un paradis pour la randonnée à VTT. Prenez les cartes et les brochures au Turisme de Catalunya ou consultez son site. Le Club Element organise des circuits en VTT dans la vallée de la Cerdagne et le long de la Costa Brava. ◈ *Club Element • C/València • 494 93 232 18 22*

Croisières

5 L'Aventura del Nautilus organise des excursions au départ de l'Estartit pour les îles Medes. Les bateaux de la compagnie Excursions Marítimas vont de Calella et Blanes à Tossa de Mar. En chemin, ils font escale dans de jolies petites criques. Vous pourrez aussi découvrir les profondeurs méditerranéennes à bord d'un bateau à fond de verre. ◈ *L'Aventura del Nautilus : L'Estartit, 100 km au N de Barcelone • 972 75 14 89* ◈ *Excursions Marítimas : Calella, 40 km au N de Barcelone, Blanes, 60 km au N de Barcelone • 972 33 59 98*

Circuits en car

6 Julià Tours et Pullmantur organisent un circuit en car du monastère de Montserrat, de Girona et de la Costa Brava, notamment le Teatre-museu Dalí à Figueres. Ils proposent aussi une excursion d'une journée incluant un itinéraire moderniste dans Barcelone et la visite du monastère de Montserrat. ◈ *Julià Tours, Pl. Universitat 12 • 93 317 64 54 • www.juliatours.es* ◈ *Pullmantur, Gran Via de les Corts Catalanes • 645 93 317 12 97*

Autoroutes et routes

7 Depuis 2001, les numéros ont changé en Catalogne. Les anciens figurent toujours sur les panneaux, mais ils doivent bientôt être supprimés.

Embouteillages

8 Le meilleur moment pour sortir de Barcelone est la fin de matinée. Évitez le vendredi soir et les week-end prolongés. En août, il y a beaucoup de trafic sur les autoroutes.

En famille

9 Les enfants de 4 à 11 ans ont droit à une réduction de 40 % dans les trains de la RENFE.

Turisme de Catalunya

10 L'office de tourisme donne une documentation très large sur la Catalogne : cartes de la région, informations sur les sports en plein air, liste des festivals, etc. Des expositions temporaires sur la Catalogne y ont lieu. ◈ *Palau Robert, Pg de Gràcia 105 • Plan E2 • 93 238 40 00 • www.gencat.es/probert • Ouv. lun.-sam. 10h-19h, dim. 10h-14h*

Mode d'emploi

Gauche **Le Tren Turístic** Droite **Le Bus Turístic, Plaça de Catalunya**

TOP10 Visites guidées et balades

1 Bus Turístic
Ce bus est une excellente manière de découvrir la ville. L'itinéraire rouge correspond à la visite du nord de Barcelone, l'itinéraire bleu, au sud. On peut monter et descendre du bus autant qu'on le souhaite. Le billet donne droit à des réduction à l'entrée de certains monuments et dans quelques boutiques. ✪ *Départ de la Plaça de Catalunya toutes les 15-30 min.* • *T.l.j. 9h-19h* • *Billets en vente dans le bus, les offices de tourisme ou à l'Estació de Sants*

2 À pied
L'office de tourisme (*p. 134*) organise des visites guidées du Barri Gòtic, à des prix corrects. Les départs se font du bureau de la Plaça de Catalunya. Le TravelBar (*p. 134*) propose aussi des visites guidées à pied.

3 La Ruta Modernista
Le pass *La Ruta Modernista* donne droit à 50 % de réduction sur l'entrée de plusieurs sites. On vous donnera en plus un plan avec un itinéraire conseillé. Les pass sont en vente au Centre del Modernisme, dans la Casa Amatller (*p. 33*). ✪ *93 488 01 39*

4 Bateau
Admirez Barcelone depuis la mer à bord des *golondrines* (bateaux-mouches). La balade dure 35 min. (un départ toutes les demi-heures). Vous pouvez aussi traverser le port en catamaran au départ du Maremàgnum. La balade est plus longue et permet en plus de découvrir les fonds marins. ✪ *Les Golondrines, Portal de la Pau* • *93 442 31 06* • *www.servicom.es/lasgolondrinas* ✪ *Orsom Catamaran, Moll d'Espanya* • *93 225 82 60* • *www.barcelona-orsom.com*

5 Téléphérique
Les deux *telefèrics* offrent d'incroyables vues aériennes sur la ville. L'un part de l'Avinguda de Miramar, à Montjuïc, l'autre de la Torre de Jaume I, près du World Trade Center, ou de la Torre Sant Sebastià, près de Barceloneta. ✪ *93 441 48 20*

6 Kayak de nuit
Pagayez sous les étoiles et, après une pause bière et grignotage, rentrez à terre pour un barbecue suivi d'un petit verre sur un fond musical concocté par un DJ. Nàutica Base organise de nombreuses activités nautiques. Assurance et équipement compris. ✪ *Nàutica Base, Av. del Litoral* • *93 221 04 32* • *Juin-sept. jeu.-sam. 21h*

7 Car et minibus
Jùlia Tours et Pullmantur organisent des visites guidées en car des principaux sites et quartiers de Barcelone. Du jeudi au samedi, des balades nocturnes sont proposées, suivies d'un arrêt dans un bar à tapas puis de flamenco ou d'un autre spectacle musical. Live Barcelona organise des visites guidées en minibus Mercedes pour des groupes de 7 personnes maximum. ✪ *Julià Tours* • *93 317 64 54* • *www.juliatours.es* ✪ *Pullmantur* • *93 318 02 41* ✪ *Live Barcelona* • *93 791 01 79* • *www.livebarcelona.com*

8 En vélo
Un Cotxe Menys (« une voiture de moins ») et Biciclot proposent des balades en vélo dans la vieille ville et le Parc de la Ciutadella. Les balades en soirée comprennent une pause pour dîner. ✪ *Un Cotxe Menys, C/Esparteria 3* • *93 268 21 05* ✪ *Biciclot, Pg Marítim 33* • *93 221 97 78*

9 Calèche
Oui, c'est un piège à touristes, mais parcourir La Rambla en calèche fera bien plaisir à vos enfants. ✪ *Départ de la Pl. de Portal de la Pau* • *93 421 15 49*

10 Tren Turístic
Le train touristique part de la Plaça d'Espanya et s'arrête à tous les sites importants de la colline de Montjuïc. Vous pouvez monter et descendre autant de fois que vous le voulez. ✪ *93 415 60 20*

Gauche **Logo de l'office de tourisme** Centre **Kiosque à journaux, La Rambla** Droite **Magazines**

ⁱ⁰ Où s'informer

1 Turisme de Barcelona

L'office de tourisme principal se trouve Plaça de Catalunya. Vous pourrez vous y procurer un plan gratuit de la ville, réserver un hôtel, changer de l'argent, vous connecter à Internet et acheter des souvenirs. L'équipe est multilingue. Un bureau se trouve dans l'Estació de Sants et un autre Plaça de Sant Jaume I. Pour des renseignements sur le reste de la Catalogne, allez au Turisme de Catalunya (p. 132). En appelant le 010 ou le Turisme de Barcelona, vous obtiendrez de nombreux renseignements. ◉ Turisme de Barcelona, Pl. de Catalunya 1 • Plan M1 • www.barcelonaturisme.com • 93 368 97 30 • Ouv. t.l.j. 9h-21h

2 Informations touristiques

Dans les quartiers les plus touristiques, de 10h à 20h, des agents en veste rouge distribuent des plans et informent les visiteurs. ◉ Juil.-sep. seul.

3 Magazines

Pour vos soirées, achetez dans n'importe quel kiosque la Guía del Ocio, dans laquelle vous trouverez le programme des salles de concerts, de théâtre, de danse et de cinéma, une liste de restaurants et discothèques. Gratuit, le mensuel en anglais Barcelona Metropolitan donne des informations

sur la culture, les arts, les restaurants et les clubs. En espagnol et anglais, b-guided et Shangay Express sont deux magazines donnant des adresses branchées et gays.

4 Consulats

De nombreux pays ont un consulat à Barcelone. ◉ France, Ronda Universidad 22 bis 4ᵉ • 93 270 30 00 • www. consulfrance-barcelone.org ◉ Belgique, C/Diputació 303 1 • 93 467 70 80/81/82 ◉ Suisse, Gran Via de Carles III 94 • 93 330 92 11 ◉ Canada, C/Elisenda de Pinós 10 • 93 204 27 00

5 Institut de Cultura de Barcelona

Dans le Palau de la Virreina (p. 13), cet institut diffuse des informations sur les événements culturels. ◉ La Rambla 99 • 93 301 77 75 • Ouv. lun.-ven. 10h-14h et 16h-20h

6 Sites Internet

De nombreux sites Internet traitent de Barcelone ; consultez le site officiel du Turisme www.barcelonaturisme. com ou www.bcn.es. Pour des informations sur le reste de la Catalogne, connectez-vous au site du Turisme de Catalunya www.gencat.es/probert.

7 TravelBar

Vous trouverez ici des informations sur la ville et un accès Internet. Ce bar organise des visites guidées à pied

(p. 133) et à vélo, un tour des bars de la vieille ville ainsi que des soirées intercambio pour améliorer votre espagnol. ◉ C/Boqueria 27 • 93 342 52 52

8 Panneaux d'affichage de l'Université

Si vous cherchez un hébergement ou des cours d'espagnol bon marché, allez à l'Université. ◉ Gran Via de les Corts Catalanes • 93 403 54 17

9 Bibliothèque et Institut français

La Biblioteca de Catalunya est la plus grande bibliothèque de Barcelone. Vous pouvez obtenir une carte à la journée avec votre carte d'identité. Si vous cherchez la presse ou des livres en français, allez à l'Institut français. ◉ Biblioteca de Catalunya, C/Hospital 56 ◉ Institut français, C/Moià 8 • 93 567 77 77

10 Handicapés

L'Institut Municipal de Persones amb Disminució fournit des conseils et la liste des lieux accessibles en fauteuil roulant. Sachez qu'à Barcelone, les facilités pour les handicapés sont limitées, surtout pour la visite des vieux bâtiments. ◉ Av. Diagonal 233 • 93 413 28 40

Gauche **Timbre** Centre **Téléphone public** Droite **Boîte aux lettres**

ᵀᵒᵖ10 Communications

1 Téléphones publics
On trouve des cabines à carte et à pièces dans toute la ville.

2 Cartes téléphoniques
Des cartes Telefónica à 6 € et 12 € sont en vente dans les kiosques à journaux, les centres téléphoniques et les bureaux de tabac *(estanc)*. Pour l'international, les autres cartes (par exemple, Fortune et BT) sont plus intéressantes.

3 Appels internationaux
Pour appeler l'étranger, composez le 00 suivi de l'indicatif national (Belgique 32, Canada 1, France 33, Suisse 41) et du numéro de votre correspondant. Pour appeler l'Espagne de l'étranger, composez le 00 puis le 34 et le numéro souhaité. Pour appeler en PCV, faites le 900 99 00 suivi de l'indicatif national ou, pour le Canada, du 15. Pour obtenir une opératrice, composez le 1008 pour les pays de l'UE ou, pour les autres pays, le 1005. Pour les renseignements locaux ou internationaux, faites le 025.

4 Appels intérieurs
Un appel local depuis une cabine vers un poste fixe coûte environ 0,20 €. À Barcelone, les numéros commencent par 93. Le reste de la Catalogne est divisé en trois provinces : Lleida (973), Girona (972) et Tarragona (977). Pour obtenir une opératrice, composez le 1003.

5 Centres téléphoniques
Il est plus confortable de téléphoner depuis les *locutoris* que depuis les cabines et c'est souvent meilleur marché. Les prix varient selon les quartiers, les *locutoris* du centre-ville sont les plus chers. Dans le centre, Telecomunicaciones del Caribe propose un tarif intéressant. Le prix de la communication s'affiche sur l'écran des téléphones.
✆ *Telecomunicaciones del Caribe, C/Xuclà*

6 Poste
Les bureaux de poste *(correus)* sont ouverts du lundi au vendredi de 8h30 à 14h30 et le samedi de 10h à 14h. La poste centrale est ouverte toute la journée et propose de nombreux services (envoi de fax et de courrier express). Les boîtes aux lettres sont de couleur jaune vif et ont une fente *ciutat* (ville) et une fente *altres destinacions* (autres destinations). ✆ *Poste centrale, Pl. Antoni López • Ouv. lun.-sam. 8h30-21h30, dim. 9h-14h30*

7 Poste restante
Pour recevoir du courrier, la poste centrale est plus sûre. Une pièce d'identité ou sa photocopie vous sera demandée pour récupérer vos lettres. ✆ *Faites adresser votre courrier à : Lista de Correos, 08070 Barcelona, Espagne*

8 Envoi de courrier
Les compagnies privées proposent des services très efficaces pour des envois partout dans le monde en 1 à 5 jours. ✆ *Federal Express 900 10 08 71*
✆ *UPS 900 10 24 10*
✆ *DHL Worldwide Express 902 12 24 24*

9 Accès Internet
Vous trouverez sans difficulté un endroit où surfer, en particulier autour de la Plaça de Catalunya et de La Rambla. Les cybercafés sont ouverts jusqu'à 23h, parfois minuit. Pour l'accès 24h/24, optez pour easyEverything ; pour une bonne musique d'ambiance, Cybermundo ; pour un bon prix, People@Web.
✆ *Internet Exchange, La Rambla 130 • 93 317 73 27*
✆ *EasyEverything, La Rambla 32 • 93 318 24 35*
✆ *Cybermundo Internet Centre, C/Bergara 3 • 93 317 71 42* ✆ *People@ Web, C/Provença 367 • 93 457 95 13*

10 Fax
La plupart des bureaux de poste et des centres Internet ont aussi un service de fax.

Gauche **Guàrdia Urbana** Centre **Pharmacie** Droite **Enseigne d'une pharmacie**

ᴛᴏᴘ10 Santé et sécurité

1 Urgences
Le numéro d'urgence 112 permet d'appeler la *policia* (police), les *bombers* (pompiers) et d'obtenir une *ambulància* (ambulance).

2 Police
Pour appeler la police nationale *(Policia Nacional)* faites le 091, et pour la police locale *(Guàrdia Urbana)* le 092. Le centre Turisme Atenció, géré par la Guàrdia Urbana et le Turisme de Barcelona, fournit une assistance et des conseils aux victimes d'agressions. ✆ *Turisme Atenció, La Rambla 43* • 93 344 13 00 • Ouv. 24h/24

3 Sécurité
Si les vols à la tire sont fréquents, les agressions plus graves sont rares. Les voleurs ont parfois un couteau. Si vous vous faites menacer, nous vous déconseillons d'essayer de discuter.

4 Objets de valeur
Laissez votre passeport et tous vos objets de valeur au coffre de votre hôtel. Emportez un minimum d'argent et gardez-le dans une banane, une ceinture antivol ou dans votre poche de poitrine. Maintenez votre sac devant vous. À la plage, au café et au restaurant, gardez vos affaires sur vos genoux ou attachées. Méfiez-vous de tout

contact bizarre ou inutile, verbal ou physique, par exemple une tape sur l'épaule ou un verre renversé à votre table. Les voleurs opèrent souvent à deux : pendant que l'un vous occupe, l'autre dérobe votre argent.

5 Hôpitaux
Vous trouverez un service d'urgences *(urgències)* ouvert 24h/24 à l'Hospital de la Creu Roja de Barcelona, à l'Hospital de la Santa Creu i de Sant Pau *(p. 103)* et à l'Hospital Clinic. Pour appeler une ambulance, faites le 061. ✆ *Hospital de la Creu Roja de Barcelona, C/Dos de Maig 301* • 93 507 27 00 ✆ *Hospital de la Santa Creu i de la Santa Pau, C/Sant Antoni Maria Claret 167* • 93 291 90 00 ✆ *Hospital Clinic, C/Villaroel 170* • 93 227 54 00

6 Médecins et cliniques
L'office du tourisme donne des adresses de médecins parlant français. De nombreuses cliniques reçoivent sans rendez-vous, par exemple la Creu Blanca près de la Plaça de Catalunya. ✆ *Creu Blanca, C/Pelai 40* • 93 412 12 12 • Ouv. lun.-ven. 9h-13h et 16h-19h, sam. 9h-13h

7 E 111 et assurances
Avant leur départ, les citoyens de l'UE doivent se procurer le formulaire

E 111 auprès d'un centre de Sécurité sociale, afin d'être remboursé d'éventuels frais médicaux. Il est fortement recommandé aux non-ressortissants de l'UE de souscrire une assurance spéciale avant de partir.

8 Soins dentaires
Vous trouverez sans difficulté un cabinet dentaire à Barcelone. Nous recommandons la Clínica Dental Barcelona. En semaine, les cabinets sont généralement ouverts de 9h à 21h. ✆ *Clínica Dental Barcelona, Pg de Gràcia 97* • 93 487 83 29

9 Pharmacies
Les pharmacies *(farmàcies)* sont signalées par une grosse croix verte clignotante. Si vous avez besoin d'un conseil, vous trouverez certainement un pharmacien parlant anglais ou français dans les pharmacies de La Rambla. Les pharmacies ouvrent généralement de 9h à 14h et de 16h30 à 20h. Dans chaque quartier, une pharmacie de garde est ouverte de 21h à 9h du matin. La liste des pharmacies de garde est affichée dans toutes les officines. Certaines pharmacies, surtout celles de La Rambla, sont ouvertes 24h/24.

10 Eau potable
L'eau du robinet est parfaitement sûre.

Gauche **Distributeur automatique** Centre **Bureau de change** Droite **Billet de 20 euros**

TOP 10 Argent et banques

1 L'euro
L'euro est la monnaie officielle en Espagne, comme dans la plupart des pays membres de l'UE. Pour toute information sur l'euro, consultez le site de l'UE.
⊛ www.europa.eu.int/euro

2 Banques
En semaine, les banques sont ouvertes de 8h à 14h. Certaines ouvrent en plus de 16h à 20h le jeudi et de 8h à 14h le samedi, sauf en été. Leurs taux de change sont plus intéressants que celui des bureaux de change, mais leur commission plus élevée. Les taux étant variables, le mieux est de vous renseigner. La Caixa de Catalunya de la Plaça de Catalunya est ouverte jusqu'à 21h. Dans l'Estació de Sants et à l'aéroport, vous pourrez changer de l'argent dans des annexes tous les jours de 7h ou 8h à 22h.

3 Changer de l'argent
Évitez de changer de l'argent dans les quartiers touristiques : les taux y sont élevés. Les banques proposent de meilleurs taux que les bureaux de change mais, sur La Rambla, les bureaux de change restent ouverts jusqu'à minuit.

4 Distributeurs automatiques
Utiliser sa carte de crédit est très pratique. En retirant des petits montants, on évite de prendre des risques en se déplaçant avec des sommes trop importantes. Les ressortissants de l'UE n'ont plus de commission à payer depuis le passage à l'euro, mais les ressortissants des pays non membres de l'UE devront se renseigner sur les commissions facturées par leur banque.

5 Chèques de voyage
Si vous optez pour ce mode de paiement, achetez vos chèques de voyage en euros. Vous pourrez les échanger dans toutes les banques et certaines boutiques les acceptent. Les bureaux American Express et Banco Central Hispano échangent les chèques American Express sans commission (un passeport vous sera demandé). Par précaution, conservez dans vos bagages une liste des numéros de vos chèques de voyage.
⊛ American Express, bureau principal, Pg de Gràcia 101 • 93 415 23 71

6 Cartes de paiement
La plupart des hôtels, restaurants et boutiques, acceptent les cartes Visa et MasterCard. La carte American Express est bien acceptée dans les hôtels, moins bien dans les restaurants et les magasins. La carte Diners Club est acceptée dans un restaurant sur deux. Assurez-vous que votre carte de paiement est internationale.

7 Urgence
Si vous avez perdu ou vous êtes fait voler votre carte de paiement, prévenez votre banque et faites une déclaration à la police. Avant de partir, renseignez-vous sur le numéro d'appel international à composer pour faire opposition.
⊛ Visa 915 192 100
⊛ MasterCard 900 97 12 31
⊛ American Express 900 99 44 26

8 Banque en ligne
Pour suivre vos comptes et ne pas avoir de mauvaises surprises, abonnez-vous avant de partir auprès de votre banque à un service de consultation par Internet.

9 Sécurité
Conservez toujours une somme d'argent liquide « de secours » dans vos bagages, séparément de votre portefeuille.

10 Pourboires
Le pourboire n'est pas inclus dans la note ; il n'est pas obligatoire, mais la plupart des clients laissent l'équivalent de 5 % du total et arrondissent au 50 cents supérieurs pour les petites sommes. Il est d'usage de laisser 5 % de la course aux chauffeurs de taxi, et environ 50 cents par bagage aux porteurs.

Gauche **Petit déjeuner dans un bar** Droite **Une terrasse dans le Barri Gòtic**

🔟 Manger

1 Horaires
Les horaires des repas sont plus tardifs en Espagne que dans le reste de l'Europe. Le déjeuner se prend autour de 14h ou 15h, et le dîner après 21h. Les restaurants sont ouverts de 13h30 à 16h et de 20h30 à minuit. Beaucoup ferment un jour par semaine et en août. Les cafés et les bars ouvrent de 7h30 à 2h. Il n'y a donc qu'entre 4h et 7h30 que vous aurez du mal à trouver un endroit où prendre un verre ou grignoter !

2 La carte
De plus en plus de restaurants proposent une carte en plusieurs langues. Au déjeuner, optez pour le *menú del dia*, une entrée, un plat, un dessert, de l'eau et du vin, et un prix souvent très intéressant. Il est servi de 13h30 à 16h.

3 Cuisine catalane
La cuisine catalane est un mélange des produits de la mer et de la montagne *(mar i muntanya)*. Le *llagosta i polluastre* est un classique à base de homard et de poulet. Les légumes d'accompagnement sont souvent une sorte de ratatouille *(samfaina)* ou des poivrons aux oignons et à l'ail *(escalivada)*. La Catalogne est connue pour ses saucisses : goûtez à la *botifarra amb mongetes*, une saucisse aux haricots blancs.

Le *pa amb tomàquet*, du pain frotté de tomate et recouvert d'un filet d'huile d'olive est servi partout. Si vous aimez les abats, goûtez le *call* (tripes), une spécialité. Au dessert, savourez la *crema catalana*, une crème brûlée parfumée à la cannelle.

4 Poissons, fruits de mer et paella
À Barcelone, les restaurants en bord de mer servent la pêche du jour, des spécialités de poisson, des fruits de mer et des paellas. Vous trouverez des restaurants avec terrasse le long du Passeig Joan de Borbó, dans le quartier de Barceloneta et au Port Olímpic. On sert la paella le jeudi.

5 Végétariens
Vous trouverez à Barcelone quelques restaurants végétariens, notamment dans le quartier d'El Raval. Au n° 25 de la Carrer Pintor Fortuny, Biocenter propose un buffet de salades à volonté. Mais les tapas sont le moyen le plus simple de se nourrir à Barcelone si l'on est végétarien : beaucoup ne contiennent pas de viande et tous les bars en servent... Les *patates braves* et la *truita de patates* sont très nourrissantes. Et si vous mangez du poisson, vous n'aurez que l'embarras du choix !

6 Spécialités saisonnières
Les *calçots* sont une spécialité qu'on trouve au printemps : des oignons nouveaux cuits au feu de bois que l'on trempe dans la célèbre sauce *romesco*, une sauce tomate épicée. À l'automne, on sert les *bolets* (champignons) légèrement grillés et arrosés d'un filet d'huile d'olive.

7 Fumeurs et non-fumeurs
Il n'y a pas de loi anti-tabac dans les bars et les restaurants.

8 Pourboires
Il n'est pas obligatoire de laisser un pourboire. Si vous souhaitez en laisser un, comptez environ 5 % de l'addition, 10 % dans un restaurant chic. Si vous consommez au bar, laissez un peu de monnaie.

9 Enfants
Les menus enfants sont rares, mais la plupart des restaurants servent des demi-portions.

10 Handicapés
Il est maintenant obligatoire pour les nouveaux restaurants de prévoir un accès handicapés et au moins un WC adapté. Pour vous procurer la liste des lieux accessibles, contactez l'Institut Municipal de Persones amb Disminució *(p. 134)*, mais téléphonez toujours avant pour vérifier.

Restaurants et bars à tapas, les meilleures adresses p. 44-45

Gauche **Achats, Passeig de Gràcia** Centre **Boutique, C/Portaferrissa** Droite **Boutique, Gràcia**

ⁱ⁰10 Achats

1 Horaires
Les magasins sont ouverts du lundi au samedi, de 10h à 14h et de 16h30 à 20h. Les grands magasins et certaines boutiques ne ferment pas à l'heure du déjeuner.

2 Soldes
Les soldes *(rebaixes)* ont lieu aux mois de juillet et d'août, et du 7 janvier à la fin du mois de février.

3 Remboursement de TVA
Les citoyens de pays non membres de l'UE peuvent obtenir le remboursement de l'IVA (impôt sur la valeur ajoutée) à leur sortie d'Espagne sur la plupart des achats dépassant 90 €. Les boutiques arborant le logo hors taxes fournissent un reçu qu'on présente à la douane lors de son départ. L'IVA est de 7 % pour les nuitées d'hôtel et les produits alimentaires, de 16 % pour le reste. Mis à part dans certains hôtels, les prix affichés comprennent l'IVA.

4 Cuir
Les cuirs espagnols sont de bonne qualité et bon marché. Pour les chaussures, allez dans les boutiques de la Carrer Portal de l'Àngel, de la Carrer Pelai, de la Rambla de Catalunya ou du Passeig de Gràcia. Les marques Loewe et Kastoria proposent des articles de bonne qualité.

5 Antiquités
Si vous cherchez des antiquités, allez Carrer Banys Nou et Carrer de la Palla, dans le Barri Gòtic, et au Bulevard dels Antiquaris *(p. 50)*, Passeig de Gràcia, où sont réunits plus de 60 magasins. Le week-end, allez sur les marchés d'antiquités (10h-20h), par exemple au Mercat dels Antiquaris *(p. 53)* ou à celui de Port Vell.

6 Vêtements
Les boutiques du Passeig de Gràcia et de l'Avinguda Diagonal vendent des articles chic et chers. Si vous cherchez des vêtements branchés, allez Carrer Portaferrissa et Carrer Pelai. Si vous avez un petit budget, sachez que vous trouverez à tous les coins de rue une boutique Zara, la célèbre chaîne espagnole présente dans toutes les grandes villes européennes. Vous trouverez aussi des boutiques Mango, l'autre grande réussite espagnole, dans toute la ville. Pour ceux qui sont à la recherche de plus d'originalité, de nombreux jeunes créateurs sont installés à Barcelone, par exemple Antonio Miró. ✪ *Zara, Pg de Gràcia 16* ✪ *Mango, Pg de Gràcia 65* *Antonio* ✪ *Antonio Miró, C/Consell de Cent 349*

7 Tailles
Les tailles suivent les standards européens, mais certaines marques ont tendance à couper petit. En revanche, les correspondances avec les tailles nord-américaines sont les suivantes : le 6/8 correspond au 36, le 8/10 au 38, le 10/12 au 40, le 12/14 au 42 et le 14/16 au 44. Pour les hommes, le 36 correspond au 46, le 38 au 48, le 40 au 50 et le 42 au 52.

8 Musique
La FNAC et le grand magasin El Corte Inglés proposent un grand choix de CD, mais les Barcelonais préfèrent les petits disquaires de la Carrer Tallers *(p. 82)* et ceux du quartier de la Carrer Riera Baixa *(p. 82)*.

9 Nocturnes
Les cafés-magasins de la chaîne Vip's vendent des livres, des journaux et de l'alimentation, entre autres. Open Cor vend de tout, des fleurs au papier cadeau en passant par la bière et le vin. ✪ *Vip's, Rambla de Catalunya 7-9* • *Ouv. t.l.j. jusqu'à 3h* ✪ *Open Cor, Ronda de Sant Pere 33* • *Ouv. t.l.j. jusqu'à 2h*

10 Grands magasins
Incontournable, la chaîne El Corte Inglés possède plusieurs magasins. On y trouve absolument tout. ✪ *El Corte Inglés, plusieurs adresses, notamment Pl. de Catalunya 14, Av. Diagonal 471-473 et Av. Diagonal 617-619*

⟫ *Shopping, les meilleurs quartiers* **p. 50-51**

Gauche **Affiche pour des soldes** Centre **Billet de 5 euros** Droite **Menú del dia**

10 Barcelone bon marché

1 Pass touristiques
La Barcelona Card, vendue dans les offices de tourisme, donne droit à 50 % de réduction sur certains musées, restaurants, spectacles,... et les transports gratuits pendant 1 à 3 jours. L'Articket, en vente à l'office de tourisme de la Plaça de Catalunya *(p. 134)* et dans les banques de la Caixa de Catalunya, est valable 3 mois et permet d'entrer gratuitement dans 6 musées dont le MNAC *(p. 18-19)*, le MACBA *(p. 28-29)* et la Fundació Joan Miró *(p. 22-23)*.

2 Musées
De nombreux musées sont gratuits le 1er dimanche du mois, notamment le Museu Picasso *(p. 24-25)* et le MACBA *(p. 28-29)*. Le MNAC *(p. 18-19)* est gratuit le 1er jeudi du mois. Vous pouvez obtenir la liste complète des musées gratuits un jour par mois auprès de l'office de tourisme. La plupart des musées accordent une réduction de 30 % à 50 % aux plus de 65 ans.

3 Transports en commun
Selon le nombre de jours que vous passez à Barcelone, achetez un ticket T-10, valable pour 10 trajets, ou un pass valable pour un nombre illimité de trajets durant 3 ou 5 jours. Ces tickets peuvent être utilisés dans

le métro, les bus et les trains FGC.

4 Spectacles
Les salles de spectacles vendent les places à visibilité réduite à des tarifs intéressants, renseignez-vous. Le Gran Teatre del Liceu *(p. 66)* vend des billets à prix réduits pour des concerts de musique classique et des opéras. Deux fois par mois, le Palau de la Música Catalana *(p. 26-27)* propose des tarifs réduits en matinée le week-end. Pour plus d'informations sur les événements et les billets, contactez l'Institut de Cultura, dans le Palau de la Virreina *(p. 13)*.
◈ *Gran Teatre del Liceu, billetterie 93 485 99 00*
◈ *Institut de Cultura 93 301 77 75.*

5 Alimentation
Acheter de quoi pique-niquer au marché *(p. 52-53)* et s'installer sur une place ou dans un parc pour manger est bien sûr le moyen le plus économique de se nourrir. Le *menú del dia* (menu du jour) proposé dans la plupart des restaurants est généralement copieux et bon marché. Manger assis au bar est une solution encore moins chère. Un supplément est souvent facturé en terrasse.

6 Restauration rapide
Les chaînes espagnoles de restauration rapide

Pans & Company et Bocatta ont des boutiques dans toute la ville. De 10h à midi et de 16h à 19h, c'est encore moins cher !

7 Boissons
Boire une bouteille de vin achetée au supermarché est l'option la moins coûteuse mais, dans le Barri Gòtic et El Raval, de nombreux petits bars pratiquent des prix raisonnables. Les bières espagnoles en bouteille, Estrella ou San Miguel, et la bière pression *(canya)* coûtent moins cher que les bières d'importation.

8 Hôtels
En basse saison, (d'octobre à avril) les hôtels sont moins chers (les billets d'avion aussi). Renseignez-vous sur les offres spéciales.

9 Bars d'hôtels
La plupart des bars des grands hôtels sont ouverts au public : le moyen de profiter d'un cadre luxueux sans dépenser tout son argent ! Près du Port Olimpic, le bar de l'Hotel Arts *(p. 143)* est magnifique : commandez un cocktail et laissez-vous bercer par le piano.

10 Cinémas
Le lundi ou le mercredi, *el dia del espectador*, et en matinée (avant 14h30), les places de cinéma *(p. 67)* sont moins chères pour tous.

Gauche **Restaurant touristique, La Rambla** Droite **Embouteillage**

ºĭ0 À éviter

1 Quartiers
Le soir, méfiez-vous des ruelles et des rues désertes de la vieille ville, en particulier dans El Raval et le Barri Gòtic où les voleurs opèrent souvent en bande. Soyez très vigilant entre 21h et minuit, l'heure des pickpockets, car la plupart des Barcelonais dînent et il y a beaucoup de touristes dans les rues. Les voleurs aiment aussi les petites heures du matin, entre 3h et 6h, juste après la fermeture des bars et discothèques.

2 Articles de cuir trop chers
Évitez les magasins de La Rambla et des rues autour : les prix y sont souvent trop élevés pour des articles de qualité médiocre. Allez plutôt dans les boutiques réputées (p. 50-51) ou dans celles recommandées par l'office de tourisme. Demandez la liste.

3 Arnaques sur La Rambla
Quand vous vous promenez sur La Rambla, surtout ne vous laissez pas distraire par les joueurs regroupés autour de tréteaux de fortune. Le jeu de hasard auquel ils semblent jouer n'est en fait qu'un habile moyen de délester la porte feuille des touristes. Si vous entrez dans le jeu, les personnes qui vous féliciteront ne sont

que des complices et, même si vous gagnez les premières parties, très vite la chance tournera et vous vous retrouverez sans un euro. Évitez aussi les gitanes qui cherchent à vous vendre des fleurs tout en vous faisant les poches.

4 Restaurants touristiques
La plupart des restaurants en terrasse qui bordent La Rambla ne servent que des paellas et tapas pour touristes, de qualité médiocre et à des prix excessifs. Les restaurants dans les rues latérales proposent des repas bien meilleurs à des prix un peu plus raisonnables.

5 La foule
Évitez la foule et les files d'attente en visitant les monuments et les musées le matin à l'ouverture ou en fin de journée, 1h ou 2h avant la fermeture. L'été, allez à la plage plutôt en semaine et l'après-midi.

6 Change
Fuyez les bureaux de change de La Rambla, ceux de la Plaça de Catalunya et, en général, tous ceux situés à proximité des sites touristiques. Les commissions y sont souvent bien plus élevées que dans les banques. Si aucune commission n'est facturée, c'est que le taux de change n'est pas intéressant.

7 Le look touriste
Mieux vaut ne pas trop montrer que vous êtes un touriste : cachez votre appareil photo ou votre caméscope. Il est plus prudent d'éviter les grosses coupures et de ne pas porter de bijoux de valeur. Quand vous consultez votre guide ou une carte, gardez l'œil sur vos affaires.

8 Embouteillages
Pour éviter les heures de pointe, partez en fin de matinée (entre 10h et 13h) ou d'après-midi (entre 17h et 19h). Le trafic est intense entre 14h et 16h, lors de la pause déjeuner des Barcelonais. Évitez de quitter la ville le vendredi soir, surtout l'été.

9 Le mois d'août
Au mois d'août, de nombreux bars, restaurants, cafés, boutiques et mêmes certains sites ferment. Les Barcelonais partent en vacances, la ville se remplit de touristes et l'ambiance n'est plus la même... Si vous décidez malgré tout de visiter Barcelone au mois d'août, téléphonez toujours avant de vous déplacer.

10 Les musées le lundi
Beaucoup de grands musées ferment le lundi. C'est le cas du Museu Picasso (p. 24-25) et du MNAC (p. 18-19). Vérifiez les horaires.

Gauche **Une chambre de l'Hotel Mesón Castilla** Droite **Une suite de l'Hotel Claris**

TOP10 Se loger

1 Réserver
En haute saison, de mars à septembre, les hôtels, *pensions* et *hostals* se remplissent très rapidement et il est indispensable de réserver. Hors saison (d'octobre à mars), on trouve des tarifs promotionnels, renseignez-vous.

2 Quartiers bon marché
Beaucoup de pensions et *hostals* bon marché sont installés sur La Rambla et dans les rues autour, ainsi que dans El Raval, le Barri Gòtic et sur la Plaça Reial.

3 Pensions et hostals
Les *hostals* sont de petites pensions modestes de 1 à 3 étoiles. Les *hostals* et *pensions* recommandés par l'office de tourisme (demandez la liste) proposent des chambres propres et sûres, *amb bany* (avec salle de bains) ou *sense bany* (sans salle de bains), la plupart ont un lavabo. En dehors du circuit « officiel », la taille et la qualité des chambres varient beaucoup d'un établissement à l'autre.

4 La meilleure chambre
Pour avoir la meilleure chambre, il suffit parfois de la demander ! Dans la vieille ville, la plupart des *hostals* et *pensions* ont des chambres disposant d'un joli balcon : demandez une « *habitació exterior*

amb balcó ». S'il n'y a pas de balcon mais une jolie vue, demandez une « *habitació exterior amb vistes* ». Et si vous avez le sommeil léger, préférez une chambre sur cour : une « *habitació interior* ».

5 Seul
Les *hostals* et les *pensions* proposent rarement des chambres simples. La loi impose toutefois aux hôteliers de céder aux personnes seules les chambres doubles à 60 % du prix. Les tarifs doivent être affichés à la réception ou dans les chambres.

6 En famille
Beaucoup d'hôtels offrent des réductions pour les enfants de moins de 12 ans s'ils partagent la chambre des parents sur un lit d'appoint.

7 Sécurité
Si vous logez en camping ou en auberge de jeunesse, apportez un cadenas et une chaîne pour attacher vos bagages. Laissez toujours vos objets de valeur dans un coffre. La plupart des établissements en possède un.

8 Service de réservation et Internet
L'office de tourisme de la Plaça de Catalunya *(p. 132)* propose un service de réservation, très utile si vous arrivez sans rien avoir prévu. La plupart des hôtels

proposés sont des 3 étoiles ou plus et vous devrez verser des arrhes. L'office de tourisme donne également la liste des *hostals* et *pensions* les meilleur marché de Barcelone. Pour réserver par Internet, connectez-vous à www.barcelonahotels.es ou à www.barcelonaturisme.es

9 Cases de Pagès
Découvrez la campagne catalane en séjournant dans les *Cases de Pagès*, des chambres d'hôtes qui vont de la petite maison avec quelques chambres à la grande ferme traditionnelle luxueuse. Les *Gîtes* sont des chambres d'hôtes haut de gamme. Le Turisme de Catalunya *(p. 132)* donne la liste des *Gîtes de Catalunya* et vend le guide général, avec photos, des *Cases de Pagès*. Des informations sont également disponibles sur le site www.gencat.es/probert

10 Refugis
Dans les Pyrénées et dans toutes les régions montagneuses, les randonneurs peuvent dormir dans les *refugis* (refuges). Le logement y est simple, des lits de camp en dortoirs, et bon marché. L'été, il y a beaucoup de monde, pensez à réserver. Les offices de tourisme et le Turisme de Catalunya *(p. 132)* donnent la liste des *refugis*.

 Si vous cherchez un logement à long terme, méfiez-vous des agences qui vous proposent des listes payantes : c'est une arnaque.

Catégories de prix

Pour une chambre	€	Moins de 60 €
double, petit déjeuner,	€€	De 60 à 120 €
taxes et service	€€€	De 120 à 180 €
compris.	€€€€	De 180 à 240 €
	€€€€€	Plus de 240 €

Façade de l'Hotel Claris

🔟 Hôtels de luxe

1 Hotel Arts
À deux pas de la mer, cet hôtel 5 étoiles possède de splendides et vastes chambres et plusieurs restaurants de luxe. De la piscine en plein air, on a une vue superbe sur la mer. ✎ C/Marina 19-21 • Plan G5 • 93 221 10 00 • www.ritzcarlton.com • AH • €€€€€

2 Hotel Claris
Dans l'Eixample, le palais (XIXᵉ s.) des comtes de Vedruna est aujourd'hui un hôtel. La collection d'art précolombien du propriétaire actuel, également directeur du Museu Egipci voisin (p. 105), y est exposée. Les clients de l'hôtel ont droit à 40 % de réduction à l'entrée du Museu Egipci. ✎ C/Pau Claris 150 • Plan E2 • 93 487 62 62 • www.derbyhotels.es • AH • €€€€€

3 Hotel Ritz
Fondé en 1919, ce palace a été rénové récemment. La réception est somptueuse, les chambres sublimes et le service très stylé. Le restaurant de l'hôtel sert des spécialités catalanes et, du jeudi au samedi, son bar accueille un groupe de jazz. ✎ Gran Via de les Corts Catalanes 668 • Plan F3 • 93 318 52 00 • www.ritzbcn.com • €€€€€

4 Hotel Majestic
Cet hôtel porte bien son nom : une décoration splendide, un service impeccable et une piscine sur le toit avec une vue sur toute la ville. Il est à quelques pas des merveilles modernistes. ✎ Pg de Gràcia 68 • Plan E2 • 93 488 17 17 • www.hotelmajestic.es • €€€€€

5 Condes de Barcelona
La réception pentagonale de cet hôtel moderniste vaut le détour à elle seule. L'hôtel possède une piscine extérieure (6ᵉ étage) et un restaurant. Les chambres, spacieuses, sont décorées de façon classique et avec goût. ✎ Pg de Gràcia 73-75 • Plan E2 • 93 488 11 52 • www.condesdebarcelona.com • €€€€

6 Hotel Gallery
Situé au cœur de l'Eixample, le Gallery est un établissement très raffiné. La terrasse de son café-restaurant est une petite merveille. En été, le jeudi, un orchestre s'y produit. ✎ C/ Rosselló 249 • Plan E2 • 93 415 99 11 • www.galleryhotel.com • AH • €€€€

7 Princesa Sofía
Au N de la ville, dans le quartier résidentiel de Pedralbes, cet hôtel de luxe occupe une tour moderne : 500 grandes chambres, un restaurant, un bar et une piscine semi-couverte. Il possède aussi des salles de conférences et de réunion et un centre d'affaires. ✎ Pl. Pius XII • Hors plan • 93 508 10 00 • www.interconti.com • €€€€€

8 Calderón
Un hôtel très chic à la décoration sobre et contemporaine. Le salon donne sur les arbres de la Rambla de Catalunya (p. 105) et ses fauteuils sont très confortables... Du toit, avec piscine, on voit tout Barcelone. ✎ Rambla de Catalunya 26 • Plan E3 • 93 301 00 00 • www.nh-hoteles.es • €€€€

9 Hotel Rey Juan Carlos I
Cet hôtel immense possède un jardin réservé à la clientèle. Les chambres sont grandes et décorées dans un style contemporain. Des étages supérieurs, la vue sur la ville et les montagnes est magnifique. L'hôtel possède une salle de conférences pouvant accueillir 2 500 personnes. ✎ Av. Diagonal 661-671 • Hors plan • 93 364 40 40 • www.hrjuancarlos.com • AH • €€€€€

10 Hilton Barcelona
Des chambres élégantes, confortables et modernes. L'hôtel possède plusieurs cafés et restaurants, dont un en terrasse. Le Hilton Barcelona dispose aussi de salles de conférences très bien équipées. ✎ Av. Diagonal 589-591 • Hors plan • 93 495 77 77 • www.hilton.com • AH • €€€€€

 Sauf indication contraire, les hôtels acceptent les cartes de paiement et proposent des chambres avec climatisation et salle de bains.

Gauche **Salon de l'Hotel Mesón Castillan** Droite **Piscine de l'Hotel Ducs de Bergara**

⨠10 Hôtels historiques

1 Hotel Mesón Castilla

Au cœur d'El Raval, ce palais du début du XXᵉ s. est aujourd'hui un hôtel plein de charme et bien entretenu. Le salon et les chambres sont meublés à l'ancienne. Le petit déjeuner est servi dans le patio. ❧ C/Valldonzella 5 • Plan L1 • 93 318 21 82 • www.husa.es • €€

2 Hotel Ducs de Bergara

Cet hôtel luxueux occupe un bel édifice moderniste de 1898. Les chambres sont confortables. La vaste cour intérieure abrite une piscine. ❧ C/Bergara 11 • Plan L1 • 93 301 51 51 • www.hotel es-catalonia.es • AH • €€€

3 Avenida Palace

Autrefois un salon de thé, aujourd'hui un hôtel aux chambres modernes. Dans la réception, un tapis bleu et or recouvre les marches d'un somptueux escalier néo-baroque. ❧ Gran Via de les Corts Catalanes 605 • Plan E3 • 93 301 96 00 • www.avenidapalace.com • AH • €€€€

4 Hotel Regente

Cet hôtel occupe un bâtiment moderniste de 1913. Les vitraux, la réception et le bar sont d'époque. Les chambres, confortables, sont claires et certaines possèdent un balcon. De la terrasse, sur le toit avec piscine, la vue est superbe. ❧ Rambla de Catalunya 76 • Plan E2 • 93 487 59 89 • www.hoteles-centro-ciudad.es • AH • €€€

5 Hotel Oriente

Cet hôtel est une véritable institution dans le Barri Gòtic. Il a accueilli de nombreuses stars, en particulier les chanteurs Liceu (p. 12). L'hôtel a été fondé en 1842 sur l'emplacement d'un monastère franciscain dont le cloître est devenu une salle de bal. L'Oriente est aujourd'hui un peu fané, mais c'est ce qui fait tout son charme. ❧ La Rambla 45 • Plan L4 • 93 302 25 58 • www.husa.es • €€

6 Hotel Gran Via

Une belle demeure de la fin du XIXᵉ s. abrite cet hôtel qui a gardé des traces de sa grandeur. La réception, le salon et une partie des chambres possèdent encore de vieux meubles. Une d'entre elles occupe même une ancienne chapelle. Le reste de l'hôtel a été rénové. La terrasse est ensoleillée. ❧ Gran Via de les Corts Catalanes 642 • Plan E3 • 93 318 19 00 • €€

7 Hotel Sant Agustí

Fondé en 1840, c'est le plus vieil hôtel de la ville. Il occupe l'ancienne et vaste bibliothèque (1728) de l'Església de Sant Agustí. Dans le hall, remarquez les arches de pierre et la statue religieuse du XVIIIᵉ s. Les derniers étages, mansardés et à poutres apparentes, donnent sur les toits. ❧ Pl. Sant Agustí 3 • Plan L3 • 93 318 16 58 • www.hotelsa.com • €€

8 Hotel Montecarlo

Cet hôtel est tenu par une sympathique famille. Sa façade années 1930, rénovée, et est très belle de nuit lorsqu'elle est éclairée. La plupart des chambres possèdent un balcon donnant sur La Rambla, toutes sont lumineuses. ❧ La Rambla 124 • Plan L2 • 93 412 04 04 • www.montecarlobcn. com • €€€

9 Nouvel

À quelques mètres de La Rambla, dans une rue transversale, un bâtiment moderniste du début du XXᵉ s. abrite cet hôtel. Les chambres ont été rénovées et peintes dans de jolies couleurs. ❧ C/Santa Ana 18 • Plan M2 • 93 301 82 74 • €€€

10 Hotel España

Construit en 1899 sur les plans de Lluís Domènech i Montaner, cet hôtel est un bel exemple de l'architecture moderniste à Barcelone. Bien qu'un peu défraîchies, les chambres offrent tout le confort moderne. Au rez-de-chaussée, le restaurant (p. 87) est décoré de motifs floraux en mosaïque. ❧ C/Sant Pau 9-11 • Plan L4 • 93 318 17 58 • €€

Catégories de prix

Pour une chambre double, petit déjeuner, taxes et service compris.

€	Moins de 60 €
€€	De 60 à 120 €
€€€	De 120 à 180 €
€€€€	De 180 à 240 €
€€€€€	Plus de 240 €

Façade de l'Hotel Colón

🔟 Hôtels dans la vieille ville

1 Hotel Colón

Ce joli hôtel situé au cœur du Barri Gòtic est tenu par une famille. La décoration est plutôt traditionnelle et il offre des vues extraordinaires sur la Plaça de la Seu et la cathédrale. ✎ *Av. de la Catedral 7 • Plan N3 • 93 301 14 04 • www.hotel colon.es • €€€€*

2 Rivoli Ramblas

Cet hôtel est d'une élégance contemporaine : il suffit de regarder les peintures de la coupole, dans le hall d'entrée, ou de longer ses couloirs au sol de marbre brillant pour s'en convaincre. Les chambres sont grandes et décorées dans des tons de mauve et de gris. Demandez une chambre avec un balcon donnant sur La Rambla pour profiter du spectacle... ✎ *La Rambla 128 • Plan L2 • 93 481 76 76 • www.rivoli hotels.com • AH • €€€€*

3 Hotel Le Meridien

Dominant La Rambla, cet hôtel offre une belle vue sur la célèbre artère et, au-delà, sur la vieille ville et le port. Les chambres sont décorées dans des tons chauds d'orange et de jaune. Le soir, le bar accueille des groupes de musique (sauf dim. et lun.). ✎ *La Rambla 111 • Plan L2 • 93 318 62 00 • www.meridien barcelona.com • AH • €€€€*

4 Hostal Jardí

Au cœur du Barri Gòtic, cet hôtel vient d'être rénové. Les chambres sont meublées en bois clair et peintes dans des tons très gais. La salle du petit déjeuner donne sur la place. ✎ *Pl. Sant Josep Oriol 1 • Plan M3 • 93 301 59 00 • €€*

5 Barcelona Plaza Hotel

Cet hôtel accueille une clientèle d'affaires. Il possède, outre des chambres confortables, de nombreuses salles de conférences. La *suite del rellotge* (« suite de l'horloge »), nommée ainsi car elle est située juste derrière l'horloge de la façade, est la chambre la plus demandée et la plus chère. ✎ *Pl. d'Espanya 6-8 • Plan B3 • 93 426 26 00 • www. hoteles-catalonia.es • AH • €€€€*

6 Rialto

Avis aux fans de Joan Miró : l'hôtel Rialto occupe sa maison natale ! Des gravures de l'artiste ornent les murs des chambres. Toutes ont du parquet au sol et sont peintes dans des tons jaune pâle. ✎ *C/Ferran 44 • Plan M4 • 93 318 52 12 • www.gargallo-hotels.com • AH • €€€*

7 Gran Hotel Barcino

Cet hôtel bien entretenu possède un vaste salon avec de grandes baies vitrées, idéales pour observer les passants... Les chambres sont joliment décorées dans des tons de gris très doux. De celles situées au dernier étage, on voit une partie de la vieille ville. ✎ *C/Jaume I 6 • Plan N4 • 93 302 20 12 • www. gargallo-hotels.com • €€*

8 Hotel Suizo

Un hôtel idéal pour les touristes, à deux pas du Barri Gòtic. Demandez une chambre avec balcon pour profiter de la vue sur la place. ✎ *Pl. de l'Àngel 12 • Plan N4 • 93 310 61 08 • www.gargallo-hotels.com • €€*

9 Hotel Internacional

La plupart des chambres de cet hôtel ont un balcon donnant sur La Rambla, un point de vue parfait pour profiter du spectacle permanent de la rue. Le petit déjeuner, compris dans le prix de la chambre, est servi dans une grande salle claire. ✎ *La Rambla 78-80 • Plan L4 • 93 302 25 66 • www.husa.es • €€*

🔟 Hotel Duc de la Victòria

Cet hôtel moderne occupe un bâtiment construit au milieu du xixᵉ s. Les chambres sont lumineuses, décorées dans des tons ocre et bleu. De celles de l'étage, on voit les flèches de la cathédrale et les toits du Barri Gòtic. ✎ *Duc de la Victòria 15 • Plan M2 • 93 270 34 10 • www.nh-hoteles.com • AH • €€€*

 Sauf indication contraire, tous les hôtels acceptent les cartes de paiement et proposent des chambres avec climatisation et salle de bains.

Gauche **Cour de l'Hotel Peninsular** Droite **Hall d'entrée de l'Hostal Oliva**

10 Hôtels bon marché

1 Hostal Residència Rembrandt
Des chambres impeccables, un personnel polyglotte et une bonne ambiance. Demandez une chambre avec un balcon pour vous détendre au soleil tout en observant l'animation du Barri Gòtic. ◉ C/Portaferrissa 23 • Plan M3 • N'accepte pas les cartes de paiement • €

2 Hostal Oliva
Un des meilleurs hostals de Barcelone. Tenu par une sympathique famille, il occupe un bâtiment moderniste. Les chambres sont très claires et d'une propreté irréprochable. ◉ Pg de Gràcia 32 • Plan E3 • 93 488 01 62 • www.lasguias.com/hostaloliva • N'accepte pas les cartes de paiement • €

3 Hostal Goya
Cet établissement accueille les voyageurs depuis 50 ans. Les chambres du premier étage ont été rénovées et sont spacieuses. L'étage supérieur n'a pas encore été refait, mais les chambres y sont moins chères et ne manquent pas de charme avec leur vieux sol carrelé. ◉ C/Pau Claris 74 • Plan N1 • 93 302 25 65 • goya@cconline.es • €

4 Hostal Fernando
Central, clair et très propre, cet hostal propose des chambres doubles avec ou sans salle de bains, et des dortoirs de 4 à 8 lits. Les bagages peuvent être laissés à la consigne. ◉ C/Ferran 31 • Plan L4 • 93 310 79 93 • €

5 Hostal Ciudad Condal
Cet hostal familial occupe un bâtiment moderniste. Les chambres, de tailles différentes, sont simples et bien tenues. Si vous aimez l'animation, demandez une chambre avec un balcon donnant sur la Carrer Mallorca. Si vous préférez le calme, demandez une chambre donnant dans le jardin intérieur ou la cour. ◉ C/Mallorca 255 • Plan E2 • 93 215 10 40 • €€

6 Hotel Peninsular
Installé dans un ancien couvent, cet hostal tout simple possède une grande cour intérieure remplie de plantes et très ensoleillée. Vous pourrez vous y installer pour bavarder avec les autres voyageurs. Certaines chambres n'ont pas de fenêtres, pour en avoir demandez-en une amb finestra. ◉ C/Sant Pau 34 • Plan L4 • 93 302 31 38 • €

7 Hostal Parisien
Un couple très accueillant tient cet hostal. Les chambres sont claires, bien tenues ; une salle TV est à la disposition des clients. Certaines chambres donnent sur La Rambla, d'autres sur une petite rue moins animée mais moins bruyante. ◉ La Rambla 114 • Plan L4 • 93 301 62 83 • N'accepte pas les cartes de paiement • €

8 Hostal Layetana
Les chambres de cet hostal sont très simples et impeccables. De la plupart, on voit le Barri Gòtic. L'ascenseur date du début du xxᵉ s. (et il fonctionne toujours). ◉ Pl. Ramon Berenger el Gran 2 • Plan N4 • 93 319 20 12 • €

9 Hostal Eden
Cet hostal occupe plusieurs étages d'un immeuble de standing. Les chambres sont récentes, toutes ont une salle de bains et certaines un petit réfrigérateur. Les clients peuvent se connecter à Internet à partir d'un ordinateur à pièces. ◉ C/Balmes 55 • Plan E2 • 93 452 66 20 • €

10 Hostal Béjar
À 10 min. à pied de l'Estació de Sants, cet hostal est l'adresse idéale pour les voyageurs qui arrivent tard. Les chambres sont simples et propres. Toutes les doubles sont équipées d'une salle de bains. Une salle TV et un réfrigérateur sont à la disposition des clients. En haute saison, pensez à réserver. ◉ C/Béjar 36-38 • Plan B2 • 93 325 59 53 • €

 Sauf indication contraire, tous les hôtels acceptent les cartes de paiement et proposent des chambres avec climatisation et salle de bains.

Mode d'emploi

Catégories de prix

Pour une chambre double, petit déjeuner, taxes et service compris.

€	Moins de 60 €
€€	De 60 à 120 €
€€€	De 120 à 180 €
€€€€	De 180 à 240 €
€€€€€	Plus de 240 €

Premier étage du Gothic Point Youth Hostel

ⁱⁿ10 Auberges de jeunesse

1 Gothic Point Youth Hostel

Auberge de jeunesse centrale et bien tenue, avec des dortoirs de 8 à 16 lits. Le petit déjeuner est compris. L'accès Internet est possible 24h/24. Pour rencontrer d'autres voyageurs, montez sur le toit-terrasse. ✎ C/Vigatans 5 • Plan N4 • 93 268 78 08 • €

2 Hostal de Joves

Une auberge de jeunesse accueillante avec des chambres pour 3, 5 et 6 personnes, et quelques doubles. Petit déjeuner compris. Machines à laver et cuisine. ✎ Pg Pujades 29 • Plan R3 • 93 300 31 04 • N'accepte pas les cartes de paiement • €

3 Alberg Mare de Déu de Montserrat

Assez loin du centre, cette grande auberge de jeunesse est facilement accessible à pied depuis la station de métro Vallcarca. Les dortoirs comptent de 6 à 12 lits. Petit déjeuner compris. Différents services sont proposés : fax, laverie, salle TV, accès Internet avec des pièces, et cafétéria. ✎ Pg de la Mare de Déu del Coll 41-51 • Hors plan • 93 210 51 51 • €

4 Alberg Juvenil Palau

Petite mais située en plein centre, cette auberge de jeunesse propose des dortoirs de 4 et 8 lits. Le petit déjeuner est compris et on peut utiliser la cuisine. ✎ C/del Palau 6 • Plan M4 • 93 412 50 80 • N'accepte pas les cartes de paiement • €

5 Alberg Kabul

Ici, les jeunes routards font la fête toute la nuit... Certains dortoirs (4-12 lits) ont un balcon qui donne sur la Plaça Reial (p. 36). Laverie, accès Internet (à pièces) et consignes à la disposition des clients. La journée, une petite cafétéria sert des repas bon marché. ✎ Pl. Reial 17 • Plan L4 • 93 318 51 90 • www.kabul-hostel. com • N'accepte pas les cartes de paiement • €

6 Alberg Pere Tarrès

Cette sympathique auberge de jeunesse est un peu excentrée, mais on y accède facilement en métro depuis les stations Maria Cristina et Les Corts. Les dortoirs sont de 4 ou 10 lits et on peut laver son linge, se connecter à Internet, faire la cuisine ou buller sur une des deux terrasses. ✎ C/Numància 149 • Hors plan • 93 410 23 09 • www.peretarres.org • €

7 Alberg Studio

Terrasse sur le toit, patio avec table de ping-pong ; les prix de cette agréable auberge de jeunesse comprennent en plus l'accès illimité à Internet et le petit déjeuner. ✎ Duquessa d'Orleans 58 • Hors plan • 93 205 09 61 • N'accepte pas les cartes de paiement • Fer. oct.-juin • €

8 Alberg Can Soleret

Cette auberge de jeunesse est située à Mataró, une station balnéaire à 30 km au nord de Barcelone, bien desservie par le train. Les chambres de 4 à 16 lits de cette bâtisse du XIXe s. ont presque toutes vue sur la mer. Salle TV, terrasse équipée d'une table de ping-pong, et randonnées à pied ou à VTT organisées. ✎ Ronda Països Catalans • Hors plan • 93 757 57 07 • Fer. à minuit • N'accepte pas les cartes de paiement • Réservation indispensable • €

9 Residencia La Ciutat

Dans Gràcia, cette résidence étudiante propose des chambres, simples ou doubles, bien tenues, avec WC et lavabo. ✎ C/l'Alegre de Dalt 66 • Hors plan • 93 213 03 00 • €

10 CMU Penyafort-Montserrat

À l'extrémité de l'Avinguda Diagonal, cette résidence loge professeurs en mission et jeunes diplômés. Les chambres ont toutes une salle de bains et sont d'un confort minimum mais correct. Le petit déjeuner est compris. ✎ Av. Diagonal 643 • Hors plan • 93 216 27 08 • €

 Les chambres de ces auberges de jeunesse et résidences étudiantes n'ont ni climatisation, ni salle de bains.

147

Gauche **Au camping Tamariu** Droite **Piscine, Aparthotel Bertran**

Top 10 Campings et appartements

1 El Toro Bravo

Situé à 11 km au sud de Barcelone, sur la côte, ce camping est équipé d'un supermarché, d'un restaurant, d'un bar et de terrains de volley. L'été, plusieurs piscines sont ouvertes. Il est très apprécié des familles, car des activités pour les enfants y sont organisées. ◈ *Autovia de Castelldefels, km 11 • 93 637 34 62 • www.eltorobravo.com • N'accepte pas les cartes de paiement • €*

2 La Ballena Alegre

Ce camping, situé à 12,5 km au sud de Barcelone, est bien tenu et proche de la plage. Vous y trouverez un bar, un restaurant, une piscine et une discothèque. ◈ *Autovia de Castelldefels, 10 km à l'O de Villadecans • 93 658 05 04 • Sept.-juin ouv. le week-end seul. • €*

3 Camping Masnou

À 12 km au N de Barcelone, ce camping tenu par une famille est situé face à la mer et dispose d'une petite plage. Très bien équipé, il abrite un supermarché, un restaurant et un bar. ◈ *Camil Fabra 33 (N-11, km 663), El Masnou • 93 555 15 03 • N'accepte pas les cartes de paiement • €*

4 Camping Tamariu

Ce camping situé sur la Costa Brava est à proximité de la jolie station balnéaire Tamariu, ce qui est pratique pour faire les courses ou sortir le soir. La plage est à 200 m du camping. ◈ *C/de la Riera, près de Tamariu, 5 km à l'E de Palafrugell • 972 62 04 22 • Fer. oct.-Pâques • €*

5 Camping Playa Sol

Une petite plage jouxte ce camping en bord de mer, à 28 km au nord de Barcelone. À proximité : de grandes plages et la gare (1 km). ◈ *Carretera N-11, km 650, 8 km à l'E de Mataró • 93 790 47 20 • www.campingsol.com/playasol • Fer. mi-oct.-mars • €*

6 Camping El Rocà

Ce camping est proche de la station balnéaire Sitges *(p. 121)*, où vont la bonne société barcelonaise et des gays de tous les pays. La plage est à 1 km. Le camping est bien tenu et équipé d'une cafétéria, d'une petite épicerie et d'une aire de jeux. ◈ *Av. de Ronda, Sitges • 93 894 00 43 • N'accepte pas les cartes de paiement • Fer. mi-oct.-Pâques • €*

7 Citadines

Si Barcelone vous a séduit, séjournez-y plus longtemps dans un *aparthotel*. Les Citadines, sur La Rambla, proposent des studios et des petits appartements bien équipés : cuisine, fer à repasser, chaîne avec lecteur CD. Sur le toit, des chaises longues et des douches sont à la disposition des clients. ◈ *La Rambla 122 • Plan L2 • 93 270 11 11 • www. citadines.com • €€*

8 Aparthotel Bertran

Grands studios et appartements, la plupart avec balcon. Vous pourrez profiter de la terrasse et de la piscine sur le toit, et d'un service de blanchisserie 24h/24. Le petit déjeuner est servi dans les appartements. ◈ *C/Bertran 150 • www. hotelbertran. com • €€*

9 Atenea Aparthotel

Conçu à l'intention des hommes d'affaires, cet *aparthotel* de luxe est proche du quartier des affaires, en haut de l'Avinguda Diagonal. Les appartements sont spacieux et bien équipés. Le bâtiment abrite plusieurs salles de conférences. Service de blanchisserie 24h/24. ◈ *C/Joan Güell 207–211 • 93 490 66 40 • www. city-hotels.es • €€€*

10 Habit Servei

Cette agence immobilière propose la location d'appartements meublés pour des séjours courts ou longs, et des appartements en colocation. Comptez environ 700 € par mois. ◈ *C/ Muntaner 200 • Plan D2 • 93 209 50 45 • www.habitservei.com*

Sauf indication contraire, tous les hôtels acceptent les cartes de paiement et proposent des chambres avec climatisation et salle de bains.

La Costa Brava

¹⁰10 Hôtels en Catalogne

1 La Torre del Remei
Proche de Puigcerdà, dans les Pyrénées, cet hôtel occupe un palais moderniste de 1910. Chambres superbes, piscine extérieure chauffée, restaurant excellent et vue exceptionnelle. ✪ *Ami Reial, Bolvir, 3 km au SO de Puigcerdà • 972 14 01 82 • www.relaischateaux.com • €€€€*

2 El Hostal de la Gavina
Cette bâtisse est entourée d'un parc. Les chambres sont meublées à l'ancienne. La plage est à 200 m, mais l'hôtel a une piscine d'eau de mer. La Gavina abrite un restaurant de luxe où l'on sert une délicieuse cuisine. ✪ *Pl. de la Rosaleda, 3 km au S de S'Agaró • 972 32 11 00 • www.lagavina.com • Fer. mi-oct.-Pâques (sauf Nouvel An) • €€€€*

3 Hotel Aiguablava
Situé au sommet de falaises escarpées, cet hôtel surplombe la Méditerranée. Une maison dirigée par la même famille depuis quatre générations. Toutes les chambres sont décorées différemment et la plupart ont vue sur la mer. L'hôtel dispose d'une grande piscine extérieure. Le petit déjeuner est compris. ✪ *Platja de Fornells, 6 km au NE de Palafrugell • 972 62 20 58 • www.aiguablava.com • €€*

4 Fonda Biayna
Fondé dans les années 1820, ce vieil hôtel a un charme rustique. Son client le plus célèbre, Picasso, arriva avec ses toiles à dos de mule, avant de partir pour Paris. ✪ *C/de Sant Roc 11, Bolvir, Cerdanya • 973 51 04 75 • www.casafonda.com • €*

5 Hostal Sa Tuna
Cet hôtel familial situé sur la jolie plage Sa Tuna dispose de 5 chambres. De la terrasse, on a une belle vue sur la mer. Le restaurant sert une bonne cuisine catalane. Le petit déjeuner est compris. ✪ *Pg de Ancora 6, Platja Sa Tuna, 5 km au N de Begur • 972 62 21 98 • www.hostalsatuna.com • Fer. oct.-fév. • €€*

6 Mas de Torrent
Près de Pals, cette belle ferme du XVIIIᵉ s. a été transformée en hôtel. Les œuvres d'art contemporain contrastent avec l'ancienneté du bâtiment. L'hôtel dispose d'une piscine extérieure. ✪ *Finca Mas de Torrent, Torrent, 5 km au NO de Palafrugell • 972 30 32 92 • www.mastorrent.com • €€€€*

7 Parador de Tortosa
Cet hôtel occupe le Castillo de la Zuda, bâti par les Maures, et domine la ville de Tortosa. Il est décoré de beaux meubles anciens. La vue sur la campagne et les montagnes y est superbe. ✪ *Castillo de la Zuda, Tortosa • 977 44 44 50 • www.parador.es • €€*

8 Ca L'Aliu
Dans le village de Peratallada, cette *casa rural* (gîte) restaurée dispose de chambres confortables. Si vous voulez aller vous balader, les propriétaires vous prêteront des vélos. ✪ *C/Roca 6, Peratallada, 12 km au NO de Palafrugell • 972 63 40 61 • €*

9 Royal Tanau
Dans la très chic station de ski Baqueira-Beret (p. 120), cet hôtel de luxe propose des chambres confortables avec vue magnifique sur les Pyrénées. Un télésiège amène les clients sur les pistes. ✪ *C/de Beret, Baqueira-Beret, 120 km au N de Lleida • 973 64 44 46 • Fer. mai-juin et sept.-nov. • €€€€*

10 El Paller de Can Viladomat
Cette bâtisse du XVIIIᵉ s. au décor rustique dispose de chambres confortables. C'est une base excellente pour partir à la découverte de l'arrière-pays catalan. Le petit déjeuner et le dîner sont compris. L'hôtel dispose d'une petite piscine. ✪ *Can Viladomat, Navès, 19 km à l'E de Solsona • www. agronet.org/elpaller • N'accepte pas les cartes de paiement • €€*

> Sauf indication contraire, les campings sont ouverts toute l'année mais la plupart, d'octobre à mars, n'ouvrent que le week-end.

Index

Index

Index

Remerciements

Auteurs
AnneLise Sorensen est écrivain et vit
à Barcelone. Elle a écrit et participé à
de nombreux magazines touristiques
et guides de voyage sur l'Espagne,
le Danemark, la Californie et l'Irlande.

Ryan Chandler, écrivain et journaliste,
travaille à Barcelone depuis plus de dix
ans. Il est actuellement correspondant
à Barcelone du magazine espagnol
The Broadsheet.

Réalisé par Departure Lounge, Londres

Direction éditoriale Ella Milroy
Direction artistique Lee Redmond
Éditeur Clare Tomlinson
Maquette Lisa Kosky
Informatique éditoriale Ingrid Vienings
Iconographie Monica Allende assistée
d'Amaia Allende, Ana Virginia Aranha,
Diveen Henry
Consultant Brian Catlos
Relecture Brian Catlos,
AnneLise Sorensen
Index Hilary Bird
Lecture Catherine Day

Reportage photographique Joan Farré,
Manuel Huguet
Photographies d'appoint Max Alexander,
Mike Dunning, Heidi Grassley, Alan
Keohane, Ella Milroy, Naomi Peck

Illustration Chris Orr & Associates,
Lee Redmond

Cartographie Martin Darlison,
Tom Coulson, Encompass Graphics Ltd

CHEZ DORLING KINDERSLEY
Direction éditoriale
Louise Bostock Lang, Kate Poole
Direction artistique Marisa Renzullo,
Gillian Allan
Direction Douglas Amrine
Cartographie Casper Morris
Informatique éditoriale Jason Little,
Conrad van Dyk
Fabrication Joanna Bull

Crédits photographiques
h = en haut ; hc = en haut au centre ; hd
= en haut à droite ; hg = en haut à
gauche ; chg = au centre en haut à
gauche ; hc = en haut au centre, chd = au
centre en haut à droite ; cg = centre
gauche ; c = centre ; cd = centre droite ;
b = en bas ; cbg = au centre en bas à
gauche ; bc = en bas au centre ; cbd = au
centre en bas à droite ; bg = en bas à
gauche ; bc = en bas au centre ; bd = en
bas à droite.
Nous avons recherché avec soin tous les
détenteurs de copyrights et présentons
par avance nos excuses à ceux que nous
aurions oubliés. Nous corrigerons toute
erreur signalée dans les prochaines
éditions de cet ouvrage.
L'éditeur remercie les particuliers,
sociétés et bibliothèques d'images
qui ont autorisé la reproduction de
leurs photographies :
© Fundació Antoni Tàpies,
Barcelona/ADAGP, Paris et DACS, Londres
2002 22-23c. © Salvador Dalí/Gala -
Fondation Salvador Dalí/DACS, Londres
2002 *Taxi pluvieux* Dalí 119bd.
AISA, Barcelone : 1c ; 11c ; *Homea*
Eduardo Arranz Bravo 28b ; 30hg ; 30hd ;
30c ; 31bg ; 31hd ; 31cd ; 31bd ; 118c.
BARCELONA TURISME : 61hd ; 110c ;
Espai d'Imatge 64c ; 65b ; Jordi Trullas 64h.
DEPARTURE LOUNGE : Ella Milroy : 2hd ;
6hd ; 6bd ; 7hc ; 7bd ; 8hg ; 8c ; 8bd ;
9bg ; 10hd ; 13hd ; 13c ; 14hg ; 17bg ;
23bd ; 20c ; 21cd ; 21bg ; 27bg ; 29hd ; 34-
35 ; 36hd ; 37hc ; 40hg ; 40cd ; 42hg ;
46h ; 50hd ; 51hc ; 52hg ; 52hc ; 52hd ;
55hd ; 56hd ; 58hg ; 68-69 ; 71h ; 71bd ;
75hg ; 75hc ; 76hg ; 78hc ; 81b ; 84hd ;
88c ; 90bd ; 102hg ; 102hd ; 102c ; 103bd ;
106hg ; 106hc ; 106hd ; 108hd ; 109h ;
116hd ; 131hg ; 131hd ; 132hg ; 133hd ;
136hd ; 138hg ; 140hg ; 140hd. Paul
Young : 3hd ; 3bg ; 12c ; 12bd ; 22hg ;
20hg ; 20-21c ; 21hc ; 36hg ; 50hg ; 54hd ;
70c ; 74hg ; 107hg ; 107hd ; 138hd.
MANUEL HUGUET : 128-129.
Getty Images : Tony Stone/Luc Beziat 48c.
FUNDACIÓ JOAN MIRÓ : © Succession
Miró/DACS 2002 *Pagès Català al Cla de
Lluna* Joan Miró 22bg ; © Succession
Miró/DACS 2002 *Tapis de la Fundació
Joan Miró* 22-23c ; © Succession
Miró/DACS 2002 *Home i Dona Davant un
Munt d'Excrement* Joan Miró 23hd.
MUSEU NACIONAL D'ART DE
CATALUNYA : 18b ; 19hg ; 19hd ; 19hc ;
19b ; 92-93.
MUSEU D'ART CONTEMPORANI : 28hg ;
28cg ; 28-29c.
MUSEU PICASSO : © Succession
Picasso/DACS 2002 *Hombre con Boina*
Picasso 24b ; © Succession Picasso/DACS
2002 *La Espera* Picasso 24-25 ; ©
Succession Picasso/DACS 2002 *El Loco*
Picasso 25h ; © Succession Picasso/DACS
2002 Esquisse pour *Guernica* Picasso
25cd ; © Succession Picasso/DACS 2002
Série *Las Meninas* Picasso 25b.
MIRIAM NEGRE : 44hd ; 46bg ; 58bg ;
114g ; 144d ; 112 b; 113h ; 117 ; 139d.
PRISMA, Barcelona : 66b ; 125h ; 126h.
COUVERTURE : Photographies de
commande à l'exception de : Corbis :
Charles et Josette Lenars B/C hd ; Gregor
Schmid B/C hc ; Stephanie Maze F/C hc et
B/C hg ; Adam Woolfitt F/C photographie
principale.
Toutes les autres illustrations sont
© Dorling Kindersley.
Pour plus d'informations, consultez
www.dkimages.com.

Lexique français-catalan

Urgences

Au secours !	**Auxili !**
Arrêtez !	**Pareu !**
Appelez un médecin !	**Telefoneu un metge !**
Appelez une ambulance !	**Telefoneu una ambulància !**
Appelez la police !	**Telefoneu la policia !**
Appelez les pompiers !	**Telefoneu els bombers!**
Où est le téléphone le plus proche ?	**On és el telèfon més proper ?**
Où est l'hôpital le plus proche ?	**On és l'hospital més proper ?**

L'essentiel

oui	**sí**
non	**no**
s'il vous plaît	**si us plau**
merci	**gràcies**
excusez-moi	**perdoni**
bonjour	**hola**
au revoir	**adéu**
bonne nuit	**bona nit**
le matin	**el matí**
l'après-midi	**la tarda**
le soir	**el vespre**
hier	**ahir**
aujourd'hui	**avui**
demain	**demà**
ici	**aquí**
là	**allà**
Quoi ?	**Què ?**
Quand ?	**Quan ?**
Pourquoi ?	**Per què ?**
Où ?	**On ?**

Quelques phrases utiles

Comment allez-vous ?	**Com està ?**
Très bien, merci.	**Molt bé, gràcies.**
Ravi de vous rencontrer.	**Molt de gust.**
À bientôt.	**Fins aviat.**
C'est bien.	**Està bé.**
Où est/sont… ?	**On és/són… ?**
À quelle distance en mètres/kilomètres se trouve… ?	**Quants metres/kilòmetres hi ha d'aquí a… ?**
Comment va-t-on à… ?	**Per on es va a… ?**
Parlez-vous français /anglais ?	**Parla francès /anglès ?**
Je ne comprends pas.	**No l'entenc.**
Pouvez-vous me parler plus lentement, s'il vous plaît ?	**Pot parlar més a poc a poc, si us plau ?**
Excusez-moi.	**Ho sento.**

Quelques mots utiles

grand	**gran**
petit	**petit**
chaud	**calent**
froid	**fred**
bon	**bo**
mauvais	**dolent**
assez	**bastant**
bien	**bé**
ouvert	**obert**
fermé	**tancat**
gauche	**esquerra**
droite	**dreta**
tout droit	**recte**
près	**a prop**
loin	**lluny**
en haut	**a dalt**
en bas	**a baix**
tôt	**aviat**
tard	**tard**
entrée	**entrada**
sortie	**sortida**
toilettes	**lavabos/serveis**
plus	**més**
moins	**menys**

Achats

Combien cela coûte ?	**Quant costa això ?**
J'aimerais…	**M'agradaria…**
Avez-vous… ?	**Tenen… ?**
Je ne fais que regarder, merci.	**Només estic mirant, gràcies.**
Acceptez-vous les cartes de crédit ?	**Accepten targes de crèdit ?**
À quelle heure ouvrez-vous ?	**A quina hora obren ?**
À quelle heure fermez-vous ?	**A quina hora tanquen ?**
celui-ci	**Aquest**
celui-là	**Aquell**
cher	**car**
bon marché	**bé de preu/barat**
taille (vêtements)	**talla/mida**
taille (chaussures)	**número**
blanc	**blanc**
noir	**negre**
rouge	**vermell**
jaune	**groc**
vert	**verd**
bleu	**blau**
antiquaire/magasin d'antiquités	**antiquari/botiga d'antiguitats**
la boulangerie	**el forn**
la banque	**el banc**
la librairie	**la llibreria**
la boucherie	**la carnisseria**
la pâtisserie	**la pastisseria**
la pharmacie	**la farmàcia**
la poissonnerie	**la peixateria**
le marchand de fruits et légumes	**la fruiteria**
l'épicerie	**la botiga de queviures**
le coiffeur	**la perruqueria**
le marché	**el mercat**
le kiosque à journaux	**el quiosc de premsa**

le bureau de poste	l'oficina de correus
le magasin de chaussures	la sabateria
le supermarché	el supermercat
le bureau de tabac	l'estanc
l'agence de voyages	l'agència de viatges

Visites

la galerie d'art	la galeria d'art
la cathédrale	la catedral
l'église	l'església
la basilique	la basílica
le jardin	el jardí
la bibliothèque	la biblioteca
le musée	el museu
l'office de tourisme	l'oficina de turisme
l'hôtel de ville	l'ajuntament
fermé pour les vacances	tancat per vacances
la gare routière	l'estació d'autobusos
la gare ferroviaire	l'estació de tren

À l'hôtel

Avez-vous une chambre libre ?	Tenen una habitació lliure ?
chambre pour deux personnes avec un grand lit	habitació doble amb llit de matrimoni
chambre à deux lits	habitació amb dos llits/ amb llits individuals
chambre pour une personne	habitació individual
chambre avec salle de bains	habitació amb bany
douche	dutxa
le porteur	el grum
la clef	la clau
J'ai réservé une chambre.	Tinc una habitació reservada.

Au restaurant

Avez-vous une table pour… ?	Tenen taula per… ?
Je voudrais réserver une table.	Voldria reservar una taula.
La note, s'il vous plaît.	El compte, si us plau.
Je suis végétarien/ne.	Sóc vegetarià/ vegetariana.
serveuse	cambrera
serveur	cambrer
la carte	la carta
menu du jour	menú del dia
la carte des vins	la carta de vins
un verre d'eau	un got d'aigua
un verre de vin	una copa de vi
une bouteille	una ampolla
un couteau	un ganivet
une fourchette	una forquilla
une cuillère	una cullera
le petit déjeuner	l'esmorzar
le déjeuner	el dinar
le dîner	el sopar
le plat principal	el primer plat
les entrées	els entrants
le plat du jour	el plat del dia

le café	el cafè
saignant	poc fet
à point	al punt
bien cuit	molt fet

Lire la carte

l'aigua mineral	l'eau minérale
sense gas/amb gas	plate/gazeuse
al forn	cuit au four
fregit	frit
l'all	l'ail
l'arròs	le riz
les botifarres	le boudin
la carn	la viande
la ceba	l'oignon
la cervesa	la bière
l'embotit	la viande froide
el filet	le filet
el formatge	le fromage
la fruita	les fruits
els fruits secs	les fruits secs
les gambes	les crevettes
el gelat	la glace
la llagosta	la langouste
la llet	le lait
la llimona	le citron
la llimonada	la limonade
la mantega	le beurre
el marisc	les fruits de mer
la menestra	mélange de légumes
l'oli	l'huile
les olives	les olives
l'ou	l'œuf
el pa	le pain
el pastís	le gâteau
les patates	les pommes de terre
el pebre	le poivre
el peix	le poisson
el pernil salat serrà	le jambon de pays
el plàtan	la banane
el pollastre	le poulet
la poma	la pomme
el porc	le porc
les postres	les desserts
rostit	rôti
la sal	le sel
la salsa	la sauce
les salsitxes	les saucisses
sec	sec
la sopa	la soupe
el sucre	le sucre
la taronja	l'orange
el te	le thé
les torrades	les toasts
la vedella	le bœuf
el vi blanc	le vin blanc
el vi negre	le vin rouge
el vi rosat	le rosé
el vinagre	le vinaigre
el xai/el be	l'agneau
la xocolata	le chocolat
el xoriç	le chorizo

Nombres

0	**zero**
1	**un (masc.) una (fém.)**
2	**dos (masc.) dues (fém.)**
3	**tres**
4	**quatre**
5	**cinc**
6	**sis**
7	**set**
8	**vuit**
9	**nou**
10	**deu**
11	**onze**
12	**dotze**
13	**tretze**
14	**catorze**
15	**quinze**
16	**setze**
17	**disset**
18	**divuit**
19	**dinou**
20	**vint**
21	**vint-i-un**
22	**vint-i-dos**
30	**trenta**
31	**trenta-un**
40	**quaranta**
50	**cinquanta**
60	**seixanta**
70	**setanta**
80	**vuitanta**
90	**noranta**
100	**cent**
101	**cent un**
102	**cent dos**
200	**dos-cents (masc.)**
	dues-centes (fém.)
300	**tres-cents**
400	**quatre-cents**
500	**cinc-cents**
600	**sis-cents**
700	**set-cents**
800	**vuit-cents**
900	**nou-cents**
1 000	**mil**
1 001	**mil un**

Le jour et le temps

lundi	**dilluns**
mardi	**dimarts**
mercredi	**dimecres**
jeudi	**dijous**
vendredi	**divendres**
samedi	**dissabte**
dimanche	**diumenge**
une minute	**un minut**
une heure	**una hora**
une demi-heure	**una mitja hora**